教員採用試験

26 年度版

幼稚園

新ランナー

東京教友会

TAC出版
TAC PUBLISHING Group

は じ め に

　この度，ランナーシリーズ刊行の出版社が，いわば，第1期の一ツ橋書店（1987年初版－2022年度版）から，時宜と縁とを得て，第2期のTAC出版（2023年度版（過渡期版で2022年度版とほぼ同じ），2024年度版～）にかわった。

　2024年度版において，TAC出版編集部の英断で「キーワードに絞り込んだ」大改訂がなされ，「簡潔」化が企図され結果的に直読直解が工夫され見やすくなった。そもそもランナーシリーズ誕生の背景は，直近の2023年度版の「まえがき」に詳しいが，今版が初見だという読者のために少し解説する。

　教師を目指し，明日を見つめて今をひたすらに勉学するひたむきな学生のつぶやきがあった駒澤大学の筆者の研究室で（1987年当時），教育職員免許法等に定める教職課程等の正規の授業科目履修上での学びの内容（理想・理論）と，地方教育行政等が実施する教員採用候補者選考試験内容（現実・実践）とのギャップを埋め架橋する演習課題・問題作成・解答・解説プレゼンの演習ノート蓄積がなされ，それを基盤として刊行が実現した。

　演習課題は，例えば，次である。すなわち「教育で重要用語の「目的」と「目標」との意味の構造と，それをうける動詞の用法構造とが，「法は風土の産物」（モンテスキュー『法の精神』）といわれる法規定文脈でいかに語られているかを検索し整理して用語の目的・目標を集約整理するサブノートを作成しなさい」との筆者提示のプリント作成課題にチャレンジする。これは資料自身の文脈・構文等により資料自身自らを語らしめて定義を得るという意味論的手法である。浮上するのは，目的は「最終到達点」，動詞は「実現」でうける。目標は，目的に到達するためにクリアすべき通過条件を意味し，動詞は達成でうけることが文脈上に浮上することが判明する。同じく，例えば課題では，教育観（スズメの学校の教師像―メダカの学校の教師像，注入主義―開発主義，伝達観―助成観，教師中心―学習者中心），また，一般教養では，鉄道唱歌で全国を綴る地理教育・歴史教育，郵便番号で綴る47都道府県庁所在地に関する整理等の演習ノート等も提示されてきたが，本版では割愛した。出版編集業務・書店業務に詳しく，明日を見つめて今をひたすらに勉学に勤しむゼミ有縁の人材の機を得て刊行が発起され，刊行後も「ランナー」への愛顧が継続されてきた。

　ランナーシリーズには，大きい版のランナー（以下　親ラン）と，親ランを要約した小さい版のポケットランナー（以下ポケラン。ただし幼稚園は除く）とがあるのは周知事であろう。今般，名称変更があり，例えば，親ランでは，教職教養新ランナーの如く「新」が加筆された。

　朱熹作と伝わる漢詩『偶成』「少年易老學難成　一寸光陰不可輕　未覺池塘春草夢　階前梧葉已秋聲」は周知事である。換言すれば「只今日今時ばかりと思ふて時光をうしなはず，学道に心をいるべきなり。」（正法眼蔵随聞記）という「今でしょう！」である。いつでも，どこでも，寸暇を惜しんでポケットから取り出して，脳に忘れる暇を与えないように要点を注入・擦り込んでいくことの便を図ったのが要点確認用の新ポケランである。新ポケットランナーで要点・概要を把握する。新ランナーで内容確認をするという道程である。ポケランの記が親ランを補填する例もある。新ランナーと新ポケットランナーとの相互活用便で是非合格を！

東京教友会代表　責任編集

小 山 一 乗

本書の活用法

▶本書は幼稚園教員採用試験で問われる主要分野とその要点について，書き込みとシート消しによる暗記の二重学習ができる対策本です。
▶テーマごとに1 chapter 見開き2ページにすっきりまとめ，効率的な学習が可能でありながら，書き込み学習によりさらなる知識の定着が図れます。

書き込んで
覚える！
シートで消して
読んで
覚える！

chapter の学習をするにあたってのポイントや，その知識が実際の教育現場にどうつながるのかといった多角的な視点などについて，導入センテンスを付記しています。

分野分けの表示

穴埋め箇所は1 chapter 最大25箇所。chapter によっては，穴埋め箇所以外にも，図や表中において，**消える色字**を設定しています。シートで消しつつ本文を何度も読み込むことで，知識の定着が図れます。

穴埋め以外の留意したい語句について**強調色字**で表記しています。

ゆとりのマス目メモ欄

▶穴埋め問題をシートで消しながら答えを書き込めるスペースを，見開きページ内に２回分配置しています。
▶また，その他にも各chapterでの学習から派生した，確認したいことや覚え書きなどができるスペースを複数用意しています。学習を通して習得したこと・考えたこと・感じたことなどは全て，教員採用試験に向けた筆記対策だけにとどまらない，自身の貴重な気づきに繋がるものと思われます。どんどん書き込んでいこう！

chapter1～26には，教採試験対策にもなる，教育に関わる偉人たちの名言を掲載。続く空白箇所を活用し，自身のテーマを決めた書き込みスペースなどに活用ください。

書いて覚える解答スペース。穴埋め設問の解答について，first tryとsecond tryの2回分，書き残して比較確認もできます。学習した日時や，天候，検温，その日の気分といった自身の生活要因も一緒に記録でき，様々な対策の基礎情報として活用できます。

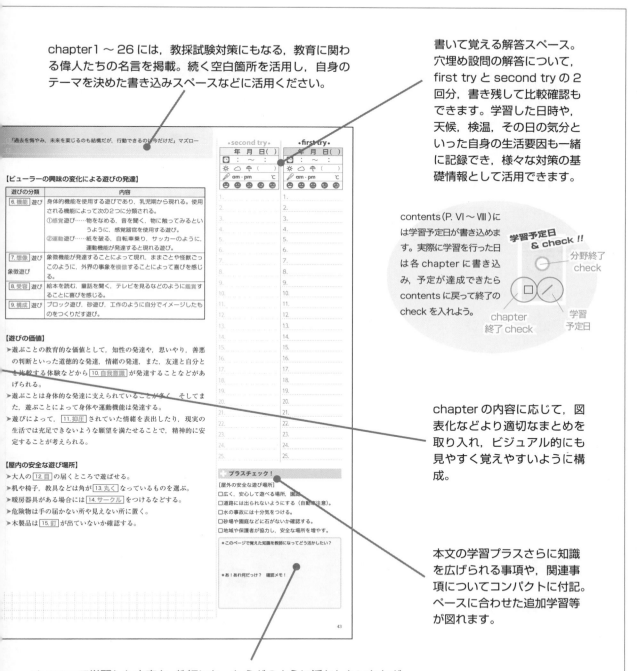

contents(P. Ⅵ～Ⅷ)には学習予定日が書き込めます。実際に学習を行った日は各chapterに書き込み，予定が達成できたらcontentsに戻って終了のcheckを入れよう。

学習予定日 & check!!
分野終了check
chapter終了check
学習予定日

chapterの内容に応じて，図表化などより適切なまとめを取り入れ，ビジュアル的にも見やすく覚えやすいように構成。

本文の学習プラスさらに知識を広げられる事項や，関連事項についてコンパクトに付記。ペースに合わせた追加学習等が図れます。

chapterで学習した内容を，教師になったらどのように活かしたいかなど，考えや気持ちのメモ書きスペース。二次試験対策へのヒントや，教師を目指すモチベーションアップに！ 学習関係の備忘録にも利用できます。

幼稚園 新ランナー
contents + my study schedule

幼稚園 新ランナー
contents + my study schedule

～ 幼稚園教員になるには ～

　教員免許状には，普通免許状（一種免許状，二種免許状，専修免許状），臨時免許状，特別免許状があり，幼稚園の教員となるためには，普通免許状を取得します。

⇩

　国立・公立の幼稚園は，都道府県や各市町村で実施する教員採用試験を受験します。

　私立の幼稚園は，それぞれ独自に教員を採用するケースがほとんどです（都道府県の私学協会等の名簿に載っている人に試験や面接を行ったり，教育実習での様子をみて声をかけたりするなど）。

[幼稚園教員免許状の一般的な取得方法]

　短期大学・大学の初等教育科や文部科学大臣の指定する専門学校・養成所などで幼稚園教員養成課程を履修し，一般教養課程，専門課程，教育実習などの単位を修得して授与されます。

　通学が困難な場合は，通信教育で免許状を取得できる方法もあります。

[試験の内容]

　実施する地方公共団体により違いがありますが，第一次選考試験，第二次選考試験と2回実施する場合が多くみられます。

　第一次選考試験では一般教養や教職教養，専門教養，論文などの筆記試験が課されます。

　第二次選考試験では第一次の合格者に対して，ピアノなどの音楽，絵画，運動などの実技試験や面接試験などが実施されます。

　合格すると採用候補者として名簿に名前が載り，その名簿をもとにして，採用決定を行う立場の人が面接をして採用の合否がきまります。

　試験の内容は採用試験を実施する地方公共団体により異なるため，早めに自分の受験する自治体の要項を調べて準備を始めましょう。

教 採 試 験 対 策
年 間 ひ と こ と ス ケ ジ ュ ー ル

- 7月
- 8月
- 9月
- 10月
- 11月
- 12月
- 1月
- 2月
- 3月
- 4月
- 5月
- 6月

わたしは，＿＿＿＿＿＿＿＿県・市・（＿＿＿＿＿）の，

学校種＿＿＿＿＿＿＿＿＿の，

　　　　教員採用試験合格を目指します。　＿＿＿年　＿＿月　＿＿日

わたしが教師を
目指す理由はこれです！

わたしの良さは
教師になったらこう活かせます！

こんな教師に
なりたい！

教育実習では
こんな気づきや学びがありました！

わたしの幼稚園専門分野の習得，
学習到達目標は？

●本書で使用した法令等について，次のような略称を用いている場合があります。

〔法令略称〕　　　　　　〔法令名〕

学校法………………………学校教育法

感染症予防法……………感染症の予防及び感染症の患者に対する医療に関する法律

教基法………………………教育基本法

憲法………………………　日本国憲法

施規………………………施行規則

施令………………………施行令

Chapter
1 ～ 59

chapter 1
［国語］

幼児，保護者，職場，関係性で変わる言葉遣い

言葉は「ら抜き」表現など，時代により変化していく面があるが，教師として正しく読み，書き，話すことを心がけたい。文の構造や敬語について確認しておこう。

文法，敬語

【文の構造上の分類】

(1) 1. 単文 …主語と述語が一組だけで成り立つ文。

例 きれいな 星が 輝く。
　　　　　　　主語　述語

(2) 2. 複文 …主語・述語・修飾語・接続語・独立語の中に，さらに主語・述語の関係のある文。

例 彼女の 通う 幼稚園が 見える。
　　　主語　述語
　　　　　主部　　　　述部

(3) 3. 重文 …主語・述語の関係をもつ二つ以上の部分が，並立・対等の関係になっている文。

例 山は 高く，海は 深い。
　　主語　述語　主語　述語
　　　　　並立の関係

【単語の種類】

(1) 4. 自立語 …単独で文節をつくることができる。

(2) 5. 付属語 …単独で文節をつくることはできない。自立語につき文節構成に加わる。

【品詞の分類】

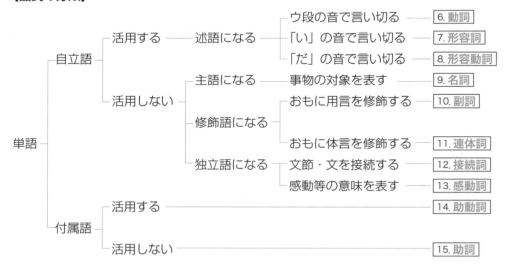

単語	自立語	活用する — 述語になる	ウ段の音で言い切る — 6. 動詞
			「い」の音で言い切る — 7. 形容詞
			「だ」の音で言い切る — 8. 形容動詞
		活用しない — 主語になる	事物の対象を表す — 9. 名詞
		修飾語になる	おもに用言を修飾する — 10. 副詞
			おもに体言を修飾する — 11. 連体詞
		独立語になる	文節・文を接続する — 12. 接続詞
			感動等の意味を表す — 13. 感動詞
	付属語	活用する	14. 助動詞
		活用しない	15. 助詞

【敬語】

► 16. 尊敬語 …話し相手や話題の中心人物を, 直接高めるいい方。
① 「お」や「ご」をつける。
　　例　先生のお教えを守る。先生のご努力に報いる。
② 「さん」や「様」をつける。
　　例　小林さん, 小山様
③ 尊敬体の体言や動詞を用いる。
　　例　この本はどなたのですか。仕事をなさった。
④ 尊敬の助動詞を使う。
　　例　先生が話された。
⑤ 「お（ご）…になる」の形。
　　例　花をお植えになる。

► 17. 謙譲語 …自分や自分に関係のあるものを低め相手を間接的に高めるいい方。
① 謙遜の意味をもつ体言や動詞を用いる。
　　例　わたくし, 小生, 弊社, 愚息, 拙宅, 粗品, 拝見
② 「お（ご）…いたす」「お（ご）…申し上げる」
　　例　先生にお知らせいたします。先生にご説明申し上げます。

► 18. 丁寧語 …話し相手に敬意を表したり, やわらげる言い方。
① 「ます」「です」「ございます」「ております」を用いる。
　　例　うまくできません。気をつけましょう。
② 接頭語の「お」「ご」をつけて, 自分の言葉を上品にする。（美化語）
　　例　お菓子, お茶, ご飯, お水

【敬語動詞の一覧】

普通の言い方	19. 尊敬語	20. 謙譲語
…する	…なさる	…いたす
言う・話す	おっしゃる	申す・申し上げる
行く・来る	いらっしゃる	まいる
飲む・食べる	召しあがる	いただく
すべての動詞	お（ご）…になる お（ご）…なさる …れる（られる）	お（ご）…する お（ご）…いたす お（ご）…申す …していただく

✚ プラスチェック！

□音読み…呉音：4～7世紀に伝わった呉の国の読み方, 漢音：7世紀以後に隋や唐から伝わった読み方, 唐音：12世紀以後に宋などから禅宗とともに伝わった読み方。

□訓読み…漢字の意味に日本語の読みをあてた読み方。

＊このページで覚えた知識を教師になってどう活かしたい？

＊あ！あれ何だっけ？　確認メモ！

幼児と共に歩む教師，自身も豊かな心を育みたい

おもな作品とその作者の組み合わせを押さえておこう。発展的に，その作品がつくられた時代背景や，物語の要旨についても確認しておきたい。

文学史

	作　品	作者・編者等
奈良	古事記	太安万侶（安麻呂）
	日本書紀	舎人親王ら
	万葉集	大伴家持ら
平安	竹取物語	不詳
	古今和歌集	紀貫之ら
	土佐日記	紀貫之
	伊勢物語	不詳
	蜻蛉日記	藤原道綱母
	枕草子	清少納言
	源氏物語	1. 紫式部
	今昔物語集	不詳
	山家集	西行
鎌倉	新古今和歌集	藤原定家ら
	方丈記	2. 鴨長明
	金槐和歌集	源実朝
	平家物語	不詳
	十六夜日記	阿仏尼
	徒然草	兼好法師
室町	太平記	不詳
	お伽草子	不詳
	風姿花伝（花伝書）	世阿弥元清
	新撰菟玖波集	宗祇
	新撰犬筑波集	山崎宗鑑
江戸	奥の細道	3. 松尾芭蕉
	日本永代蔵	4. 井原西鶴
	曾根崎心中	5. 近松門左衛門
	西洋紀聞	新井白石
	誹風柳多留	柄井川柳
	雨月物語	上田秋成
	解体新書	前野良沢，杉田玄白
	群書類従	塙保己一
	古事記伝	6. 本居宣長
	浮世風呂	式亭三馬
	東海道中膝栗毛	十返舎一九
	南総里見八犬伝	曲亭（滝沢）馬琴
	おらが春	7. 小林一茶

	作　品	作者・編者等
明治	小説神髄	坪内逍遥
	浮雲	8. 二葉亭四迷
	五重塔	幸田露伴
	金色夜叉	尾崎紅葉
	舞姫，山椒大夫	9. 森鷗外
	たけくらべ，にごりえ	樋口一葉
	破戒，夜明け前	島崎藤村
	みだれ髪	与謝野晶子
	ホトトギス（雑誌）	正岡子規
	武蔵野	国木田独歩
	吾輩は猫である	10. 夏目漱石
	あめりか物語	永井荷風
	田舎教師，蒲団	11. 田山花袋
	一握の砂	石川啄木
	お目出たき人，友情	12. 武者小路実篤
大正	暗夜行路，和解	13. 志賀直哉
	羅生門，杜子春	14. 芥川龍之介
	父帰る	菊池寛
	或る女	有島武郎
	痴人の愛，細雪	谷崎潤一郎
	女の一生，路傍の石	山本有三
	赤い鳥（雑誌）	15. 鈴木三重吉
昭和	日輪，機械	横光利一
	伊豆の踊子，雪国	16. 川端康成
	蟹工船，党生活者	17. 小林多喜二
	斜陽，人間失格	18. 太宰治
	智恵子抄	高村光太郎
	俘虜記，野火	大岡昇平
	仮面の告白，金閣寺	三島由紀夫
	次郎物語	下村湖人
	二十四の瞳	19. 壺井栄
	夕鶴，蛙昇天	木下順二
	ヒロシマ・ノート，飼育	大江健三郎
	太陽の季節	石原慎太郎
	楢山節考	深沢七郎
	海と毒薬，沈黙	20. 遠藤周作
	黒い雨	井伏鱒二
	点と線	松本清張

▶万葉集には和歌約4500首が収められている。

▶平安時代には遣唐使が廃止され，わが国独自の国風文化が栄えた。

▶平安時代には，漢字のつくりをくずして書くかなが発明された。とくに女性がかなを使用し，優れた作品が書かれた。

▶日本三大随筆といわれるのは，[21. 枕草子]，方丈記，徒然草である。

▶室町時代には，連歌や謡曲が流行した。

▶江戸時代の[22. 元禄文化]は，上方（京都や大坂）を中心に，華やかな文化として栄えた。

▶江戸時代の[23. 化政文化]は，江戸を中心に，円熟した退廃的な文化として栄えた（洒落・通）。また，国学のほか，洋書の輸入緩和などの影響により蘭学が発展した。

▶明治18年〜，写実主義。

▶二葉亭四迷の『浮雲』は言文一致体で書かれている。

▶明治22年〜，[24. 浪漫]主義（森鷗外，高山樗牛（ちょぎゅう），北村透谷（とうこく），与謝野晶子…）

▶明治35年〜，自然主義（島崎藤村，田山花袋，国木田独歩，徳田秋声…）

▶夏目漱石は個人主義。

▶明治43年〜，耽美派（新浪漫主義：永井荷風，谷崎潤一郎…）

▶明治43年〜，[25. 白樺]派（新理想主義：武者小路実篤，志賀直哉，有島武郎…）

▶大正３年〜，新思潮派（新現実主義：芥川龍之介，菊池寛，山本有三…）

▶大正10年〜，プロレタリア文学（徳永直，小林多喜二…）

▶大正13年〜，新感覚派（横光利一，川端康成…）

▶昭和４年〜，新興芸術派

▶ノーベル文学賞を受賞したのは，川端康成と大江健三郎。

• second try •	• first try •
年　月　日（　）	年　月　日（　）
🕐 ：　〜　：	🕐 ：　〜　：
☀ ☁ ☂ （　　）	☀ ☁ ☂ （　　）
🖊 am・pm　　℃	🖊 am・pm　　℃
😀 😐 😕 😣 😫	😀 😐 😕 😣 😫
1.	1.
2.	2.
3.	3.
4.	4.
5.	5.
6.	6.
7.	7.
8.	8.
9.	9.
10.	10.
11.	11.
12.	12.
13.	13.
14.	14.
15.	15.
16.	16.
17.	17.
18.	18.
19.	19.
20.	20.
21.	21.
22.	22.
23.	23.
24.	24.
25.	25.

✚ プラスチェック！

[世界文学]

□孔子『論語』，シェイクスピア『ハムレット』，ゲーテ『ファウスト』，トルストイ『戦争と平和』，ドストエフスキー『罪と罰』，ヘッセ『車輪の下』，モーパッサン『女の一生』，チェーホフ『桜の園』，カフカ『変身』，カミュ『異邦人』

＊このページで覚えた知識を教師になってどう活かしたい？

＊あ！あれ何だっけ？　確認メモ！

chapter 3 ・ 心を掴む表現方法を知るきっかけにも

名作はなぜ名作といわれるのか，自身が読むことで感じられる作品のよさは，知識としても
蓄積される。機会あるごとに多くの作品にあたっていきたい。

文学作品冒頭文・一句

作品名	作者等	有名な冒頭文・一句
1. 土佐日記	2. 紀貫之	男もすなる日記といふものを，女もしてみむとてするなり。…
3. 枕草子	4. 清少納言	春はあけぼの。やうやう白くなりゆく，山ぎはすこしあかりて，紫だちたる雲の，細くたなびきたる。…
5. 源氏物語	6. 紫式部	いづれの御時にか，女御，更衣あまたさぶらひたまひけるなかに…
7. 平家物語	作者不詳	祇園精舎の鐘の声，諸行無常の響あり。…
8. 方丈記	9. 鴨長明	ゆく河の流れは絶えずして，しかももとの水にあらず。…
10. 徒然草	11. 兼好法師	つれづれなるままに，日暮らし，硯にむかひて，心にうつりゆくよしなし事を，そこはかとなく書きつくれば，あやしうこそものぐるほしけれ。…
12. 奥の細道	13. 松尾芭蕉	月日は百代の過客にして，行きかふ年もまた旅人なり。… ◦夏草や　兵どもが　夢の跡 ◦五月雨を　あつめて早し　最上川 ◦閑かさや　岩にしみ入る　蝉の声 ◦ほろほろと　山吹散るか　滝の音 ◦この道や　行く人なしに　秋の暮れ
14. 学問のすゝめ	15. 福沢諭吉	天ハ人ノ上ニ人ヲ造ラズ人ノ下ニ人ヲ造ラズト云ヘリ。サレバ天ヨリ人ヲ生ズルニハ，万人ハ万人皆同ジ位ニシテ，生マレナガラ貴賤上下ノ差別ナク…（略）…学問トハ，唯ムヅカシキ字ヲ知リ，解シ難キ古文ヲ読ミ，和歌ヲ楽ミ，詩ヲ作ルナド，世上ニ実ノナキ文学ヲ云フニアラズ。…
16. 坊ちゃん	17. 夏目漱石	親譲りの無鉄砲で子供の時から損ばかりして居る。小学校に居る時分学校の二階から飛び降りて一週間程腰を抜かした事がある。…
18. 草枕	夏目漱石	山路を登りながらかう考えた。智に働けば角が立つ。情に棹させば流される。意地を通せば窮屈だ。とかく人の世は住みにくい。…

19. 夜明け前	20. 島崎藤村	木曽路はすべて山の中である。あるところは岨づたひに行く崖の道であり，あるところは数十間の深さに臨む木曽川の岸であり，…
21. 破戒	島崎藤村	蓮華寺では下宿を兼ねた。瀬川丑松が急に転宿を思ひ立って，借りることにした部屋といふのは，某蔵裏つづきにある二階の角のところ。寺は信州下水内郡飯山町二十何ヶ寺の一つ。…
22. 田舎教師	23. 田山花袋	四里の道は長かった。その間に青縞の市の立つ羽生の町があった。たんぼにはげんげが咲き豪家の垣からは八重桜が散りこぼれた。…
24. 受験生の手記	25. 久米正雄	汽笛がらんとした構内に響き渡った。私を乗せた列車はまだ暗に包まれている。午前三時の若松停車場を離れた。「ぢゃ左様なら，おまへも今年卒業なんだからしっかり勉強しろよ。俺も今年こそはしっかりやるから。」…

• second try •

| 年　月　日（　） |
| 🕐 ： ～ ： |
| ☀ ☁ ☂ （　） |
| ✏ am・pm ℃ |
| 😀 😐 😟 😣 😫 |

1.
2.
3.
4.
5.
6.
7.
8.
9.
10.
11.
12.
13.
14.
15.
16.
17.
18.
19.
20.
21.
22.
23.
24.
25.

• first try •

| 年　月　日（　） |
| 🕐 ： ～ ： |
| ☀ ☁ ☂ （　） |
| ✏ am・pm ℃ |
| 😀 😐 😟 😣 😫 |

1.
2.
3.
4.
5.
6.
7.
8.
9.
10.
11.
12.
13.
14.
15.
16.
17.
18.
19.
20.
21.
22.
23.
24.
25.

＋ プラスチェック！

［さらに作品と作者！］
□ 『城の崎にて』志賀直哉，『鼻』芥川龍之介，『恩讐の彼方に』菊池寛，『カインの末裔』有島武郎
□ 『太陽のない街』徳永直，『走れメロス』太宰治
□ 『天平の甍』井上靖，『坂の上の雲』司馬遼太郎，『ノルウェイの森』村上春樹

＊このページで覚えた知識を教師になってどう活かしたい？

＊あ！あれ何だっけ？　確認メモ！

幼児の言葉遊びで「反対言葉」も

幼児が語彙を増やすのに効果的でもある反対言葉の遊び。大人にとっても反対語を考えることは，語彙を増やし，その意味の確認と合わせて漢字書き取りの学習にもなる。

難読語，反対語

【難読語】

あいにく 生憎	あま 海人	1. いしょく 委嘱	いかく 威嚇	いんぎん 慇懃
うかつ 迂闊	めんつ 面子	うちわ 団扇	えいごう 永劫	えこう 回向
えと 干支	えんざい 冤罪	おえつ 嗚咽	かげろう 陽炎	きっすい 生粋
ぐち 愚痴	こうし 嚆矢	2. こうてつ 更迭	こつぜん 忽然	3. ごんぎょう 勤行
さきもり 防人	さっそう 颯爽	ささい 些細	さんご 珊瑚	しののめ 東雲
じょうし 上梓	しょうすい 憔悴	4. しんちょく 進捗	せきりょう 寂寥	せりふ 台詞
5. ぜんじ 漸次	ぜんそく 喘息	たんでき 耽溺	ちご 稚児	ちゅうちょ 躊躇
ちりめん 縮緬	6. てんさく 添削	てんまつ 顛末	7. とうや 陶冶	なかんずく 就中
なついん 捺印	のれん 暖簾	のりと 祝詞	はにゅう 埴生	はっと 法度
はんらん 氾濫	ひじゅん 批准	8. ふえん 敷衍	ほくろ 黒子	ほご 反古
9. ぼくとつ 朴訥	まきえ 蒔絵	らいらく 磊落	10. らつわん 辣腕	りさい 罹災

【基本的反対語】

赤字－黒字

安価－高価

11.遺失－拾得

異端－正統

韻文－散文

迂回－直行

英才－鈍才

婉曲－12.露骨

延長－短縮

奥行－間口

外延－内包

楷書－行書

13.過剰－不足

仮性－真性

14.簡潔－冗漫

還元－酸化

干潮－満潮

15.寛容－厳格

期待－16.憂慮

既知－未知

逆縁－順縁

急騰－急落

強制－17.任意

許可－禁止

拒否－受認

空虚－充実

18.警戒－油断

決算－予算

原因－結果

原告－被告

倹約－浪費

権利－義務

故意－過失

厚遇－冷遇

傲慢－19.謙虚

巧妙－拙劣

興隆－衰亡

固執－20.譲歩

散在－密集

失効－発効

雌伏－雄飛

釈放－拘禁

需要－供給

消費－生産

絶対－21.相対

創刊－廃刊

怠慢－勤勉

22.秩序－混乱

中枢－末梢

直系－傍系

貪欲－無欲

濃厚－23.淡白

24.派遣－召還

悲報－朗報

25.平易－難解

豊作－凶作

放電－充電

優勝－劣敗

用言－体言

理性－感情

✚ プラスチェック！

［漢字の部首（例）―①］

□へん／にんべん（体），にすい（次），きへん（柱），てへん（打），こざとへん（防），りっしんべん（忙），ころもへん（袖）等

□たれ／がんだれ（厚），まだれ（庭），しかばね（屋），とだれ（戻），やまいだれ（病）等

＊このページで覚えた知識を教師になってどう活かしたい？

＊あ！あれ何だっけ？　確認メモ！

同音・同訓の漢字―①

ア う
- 視線が合う
- 教え子に会う
- 災難に [1. 遭] う

ア げる
- 会社で地位が上がる
- 天ぷらを [2. 揚] げる
- 国を [3. 挙] げて祝う

ア ける
- 窓を開ける
- 部屋を空ける
- 梅雨が明ける

アタタ かい
- 暖かい部屋
- 温かい言葉

ア ツい
- 熱いお茶
- 暑い部屋
- 子供の信任が [4. 厚] い
- 義侠心の篤い人物

アラワす
- 指導者として頭角を現す
- 感情を言葉に表す
- 馬脚を露す
- 書物を [5. 著] す

イ かす
- 神仏によって生かされる
- 行事で子供を活かす

イ ギ
- [6. 意義] のある仕事
- 同音異義語
- [7. 異議] を唱える

イ シ
- [8. 意思] を確認する
- 先生が自分の [9. 意志] で押し切った
- 彼の遺志をつぐ

イ ドウ
- 教室を移動する
- 今春人事異動がある

ウ ツす
- すばらしい風景を写す
- スクリーンに映す
- 話す場所を移す
- 京都に都を遷す

オ サめる
- 国を治める
- 図書館に本を収める
- 税金を納める
- 学問を [10. 修] める

カイ ホウ
- 市場開放へ圧力をかける
- 受験生の身から解放される

カ える
- 土地を金に [11. 換] える
- 襖や障子を [12. 替] える
- 書面をもって挨拶に [13. 代] える
- 姿を変える

カ キ
- 幼稚園の [14. 夏季] 休業日
- 社会教育の [15. 夏期] 講習に参加する

カ タい
- この木は [16. 堅] い材木になる
- あの人の頭は固い
- 彼の表情は [17. 硬] い

カ テイ
- 教育 [18. 課程] を検討する
- 失敗した [19. 過程] を検証する
- 幸福な家庭
- 行くと仮定して考える

カン ショウ
- 映画を鑑賞する
- 菊の花を観賞する

カンシン
{
授業に関心をもつ
ファインプレーに感心する
子供が親の 20.歓心 をかう
}

キく
{
子供の話し声を聞く
好きなCDを聴く
あの子は機転の 21.利 く子だ
風邪薬が効く
}

コタえる
{
子供の疑問に答える
子供の要求に応える
}

サクセイ
{
指導計画の作成
標本の作製
}

ジテン
{
百科 22.事典 を1セット購入した
文字，とくに漢字について解説した康熙字典（こうき）
英和辞典で言葉の意味を調べる
}

シュウギョウ
{
職場の 23.就業 規則を守る
始業式があって終業式がある
中学校 24.修業 年限は3年とする
}

アラい
{
息づかいが荒い
ざるの目が 25.粗 い
}

1.～25.（first try / second try 記入欄）

🔲 プラスチェック！

［漢字の部首（例）―②］
□つくり／りっとう（劇），おおざと（部），あくび（次），るまた（段），ふるとり（雑），ふしづくり（印），おおがい（額）等
□あし／ひとあし（兄），したみず（泉），れっか（熱），にじゅうあし（弁），ころも（製）等

＊このページで覚えた知識を教師になってどう活かしたい？

＊あ！あれ何だっけ？　確認メモ！

幼稚園の活動の中で，同じ言葉で違うものを指す言葉について幼児に問われた場合，わかりやすく違いを説明しなければならないような場面も想定される。

同音・同訓の漢字—②

シュウトク
- 外国語を [1. 習得] する
- 研修で技能を [2. 修得] する
- 定期券を [3. 拾得] する

ツくる
- 規則を作る
- 船を造る
- 新しい文化を創る

ナラう
- ピアノを習う
- 前例に [12. 倣] う

シュシ
- 募金の趣旨
- 論文の主旨

ツトめる
- 事件の解決に努める
- 幼稚園に [9. 勤] める
- 劇の主役を務める

ノびる
- 学力が伸びる
- 会議が延びる

ショウカイ
- 転入生を紹介する
- 教育委員会から照会された
- 万葉集の [4. 詳解]

トウキ
- 物価が [10. 騰貴] する
- 投機的な行為は慎め
- 冬季オリンピック
- 冬期講習
- 不動産を登記する

ハカる
- 時間を [13. 計] る
- 標高を [14. 測] る
- 容積を [15. 量] る
- 解決を [16. 図] る
- 暗殺を [17. 謀] る
- 議会に [18. 諮] る

ジリツ
- 自立を目指した行動
- 自律しながら行動する

トける
- 結び目が解ける
- 砂糖が水に溶ける
- 雪が融ける

フシン
- 子供の [19. 不信] を招く
- 挙動 [20. 不審] な者を調べる
- 成績が不振である
- 不肖の息子の更生に腐心する

セイサク
- 絵画を制作する
- 演劇の舞台を製作する
- 基本的な国の政策を発表する

トる
- 資格を取る
- 事務を執る
- とんぼを [11. 捕] る
- ビデオで撮る
- 人のものを盗る
- 新入社員を採る

タズねる
- 由来を [5. 尋] ねる
- 不安な顔で訊ねる
- 史跡を訪ねる

ヘイコウ
- 平行線をたどる
- 体力測定と身体検査を並行して行う
- 彼にはまったく閉口する
- 学校が閉校する
- 抜群の [21. 平衡] 感覚

ツイキュウ
- 責任を [6. 追及] する
- 幸福を [7. 追求] する
- 真理を [8. 追究] する

ヘンセイ
- 10両編成の電車
- 軍隊を編制する

ホウイ
- 四方を敵に包囲される
- 東西南北の方位をみる

ホショウ
- 身元を [22. 保証] する
- 生活を保障する
- 損害を補償する

マワり
- 火の回りが早い
- 池の周り

ミる
- 遠くを見る
- テレビを視る
- 試合を観る
- 患者を診る

ヤブれる
- 障子が破れる
- 試合で敗れる

ユウギ
- [23. 遊戯] をする園児
- [24. 遊技] 場に集まる

ヨウコウ
- 幼稚園の園児募集要項
- 条例や [25. 要綱] で制度化する

レンケイ
- 他の組織とも連携をとる
- 連係プレーが悪い

➕ **プラスチェック！**

[漢字の部首（例）―③]
- □ かんむり／あなかんむり（窓），はつがしら（発），おいがしら（老），なべぶた（亡）等
- □ にょう／えんにょう（延），すいにょう（処）等，
- □ かまえ／かくしがまえ(区)，つつみがまえ(包)，ぎょうがまえ（街）等

＊このページで覚えた知識を教師になってどう活かしたい？

＊あ！あれ何だっけ？　確認メモ！

状況をうまく言い当てる表現方法にも

先人の知恵が詰まった故事成語やことわざは生活に直結した内容も少なくない。四字熟語は熟語の組み合わせや意味から推測できるものなど，覚え方を工夫しよう。

四字熟語・故事成語，ことわざ

あびきょうかん
1. 阿鼻叫喚
はなはだしい惨状。

いちごいちえ
一期一会
一生に一回しかない貴重な出会い。

いちようらいふく
一陽来復
逆境が続いたあとによい方に向かうこと。

いっきかせい
一気呵成
文章を一気に書き上げる，物事を一息に仕上げること。

いっしどうじん
2. 一視同仁
差別なくすべての人に仁愛をほどこすこと。

いっしゃせんり
一瀉千里
物事が速やかにはかどること。

おんこちしん
3. 温故知新
昔の物事を研究して新しい知識や道理を得ること。

お(え)んりえど
厭離穢土
この世をけがれた世界として嫌い離れること。

きょくがくあせい
4. 曲学阿世
真理にそむいた学問で世俗にこびへつらうこと。

けんこんいってき
5. 乾坤一擲
全力を尽くし運を天にまかせて物事を行うこと。

けんどちょうらい
6. 捲土重来
一度敗れた者が再び勢いを盛り返すこと。

ごえつどうしゅう
呉越同舟
仲の悪い者同士が同じ場所や境遇にいること。

ごりむちゅう
7. 五里霧中
迷って考えがまとまらないこと。

しめんそか
8. 四面楚歌
敵に囲まれ孤立していること。

しんしゅつきぼつ
神出鬼没
自由自在に現れては消えること。

せいてんのへきれき
青天霹靂
突然の出来事に見舞われること。

せっしやくわん
9. 切歯扼腕
歯ぎしりし腕を握りしめてくやしがること。

たいきばんせい
大器晩成
大きな器量をもつ人物は大成するのが遅いこと。

たいげんそうご
10. 大言壮語
実力以上に大きなことを言うこと。

ちょくじょうけいこう
直情径行
自分の思うようにすぐに実行すること。

とうほんせいそう
東奔西走
あちこちに忙しくかけまわること。

はくらんきょうき
博覧強記
広く書物を読み，よく覚えていること。

ばじとうふう
馬耳東風
人の意見や批判を聞き流すこと。

ふわらいどう
11. 付和雷同
自分の見識がなく他人の意見に同調すること。

ぼうじゃくぶじん
12. 傍若無人
周りに人がいないかのように振舞うこと。

ようとうくにく
羊頭狗肉
見かけだけ立派で，実際・実質が伴わないこと。

りゅうとうだび
竜頭蛇尾
最初はよいが終わりが振るわない様子。

ごんごどうだん
13. 言語道断
もってのほかで，言葉では言い表せないこと。

▶青は藍より出でて藍より青し

　　……弟子が師にまさること。〈師は妬むな喜べ〉

▶一葉落ちて天下の秋を知る

　　……一部分の事象をみて全体の様子を知る。

▶ 14. 魚心あれば水心

　　……相手の出方や心次第でこちらの対応のしかたも変わる。

▶ 15. 鵜のまねをする烏 （水におぼれる）

　　……自分の実力を省みずに他人の真似をすると失敗する。

▶親の光は七光り

　　……親のおかげで子供がいろいろと恩恵を受ける。

▶亀の甲より年の劫（功）

　　……年長者の経験は尊重すべき価値がある。

▶ 16. 腐っても鯛

　　……元来価値のあるものは，たとえ傷んでも何かしら価値が
　　　　ある。

▶触らぬ神にたたりなし

　　……めんどうなことに余計な手出しはするなということ。

▶ 17. 雀百まで踊り忘れず

　　……年をとっても幼少時代に身につけた習慣は直らない。

▶ 18. 栴檀は双葉より芳し

　　……世にいう偉人は幼少のころから優れたところがある。

▶蓼食う虫もすきずき

　　……人の好みはさまざまであることのたとえ。

▶習い性となる

　　……習慣は結局生まれつきの天性のようになる。

▶猫に小判

　　……貴重で価値のあるものでも，人によってはその価値が分
　　　　からず何の役にも立たない。

▶ 19. ひょうたんから駒

　　……意外なところから意外なものが出ること。冗談で言った
　　　　ことが本当になること。

▶ 20. 松のことは松に習え

　　……自我をすて自然にあるがままと一体になれ。物事はその
　　　　本質に随従するのがよい。

▶ 21. 孟母三遷の教え

　　……子供の教育に母親が腐心すること。

・second try・
| 年　月　日（　）|
| 🕐　：　〜　： |
| ☀ ☁ ☂ （　）|
| 🌡 am・pm　℃ |
| 😀 😐 ☹ 😣 😫 |

・first try・
| 年　月　日（　）|
| 🕐　：　〜　： |
| ☀ ☁ ☂ （　）|
| 🌡 am・pm　℃ |
| 😀 😐 ☹ 😣 😫 |

second try	first try
1.	1.
2.	2.
3.	3.
4.	4.
5.	5.
6.	6.
7.	7.
8.	8.
9.	9.
10.	10.
11.	11.
12.	12.
13.	13.
14.	14.
15.	15.
16.	16.
17.	17.
18.	18.
19.	19.
20.	20.
21.	21.
22.	22.
23.	23.
24.	24.
25.	25.

✚ プラスチェック！

□ことわざ…昔から人々に言われてきた言葉。
□故事成語…昔から伝えられていることを，人によっ
　て引用された言葉。

＊このページで覚えた知識を教師になってどう活かしたい？

＊あ！あれ何だっけ？　確認メモ！

世界地理・日本地理

【世界の自然】

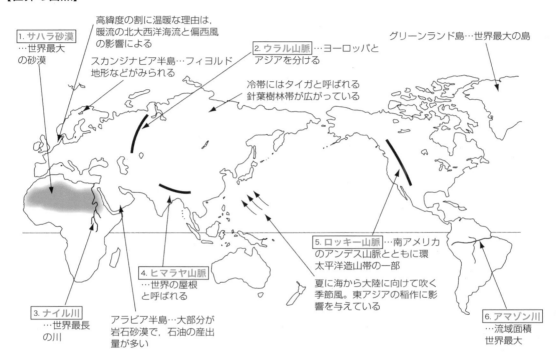

1. サハラ砂漠…世界最大の砂漠

高緯度の割に温暖な理由は，暖流の北大西洋海流と偏西風の影響による

スカンジナビア半島…フィヨルド地形などがみられる

2. ウラル山脈…ヨーロッパとアジアを分ける

冷帯にはタイガと呼ばれる針葉樹林帯が広がっている

グリーンランド島…世界最大の島

5. ロッキー山脈…南アメリカのアンデス山脈とともに環太平洋造山帯の一部

夏に海から大陸に向けて吹く季節風。東アジアの稲作に影響を与えている

4. ヒマラヤ山脈…世界の屋根と呼ばれる

3. ナイル川…世界最長の川

アラビア半島…大部分が岩石砂漠で，石油の産出量が多い

6. アマゾン川…流域面積世界最大

【日本地理】

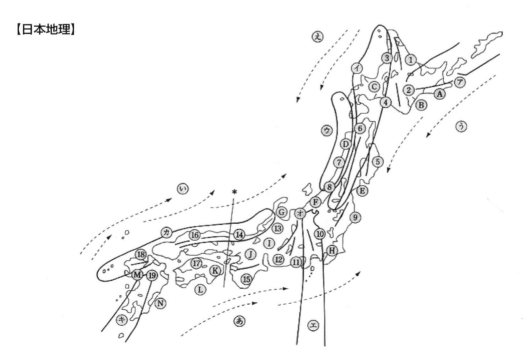

(左の【日本地理】における各名称)

【山地・山脈】
①北見山地　　　②日高山脈　　　③天塩山脈

④夕張山地　　　⑤北上高地　　　⑥奥羽山脈

⑦出羽山地　　　⑧越後山脈　　　⑨阿武隈高地

⑩関東山地　　　⑪赤石山脈（南アルプス）

⑫木曽山脈（中央アルプス）

⑬飛騨山脈（北アルプス）

⑭丹波高地　　　⑮紀伊山地　　　⑯中国山地

⑰四国山地　　　⑱筑紫山地　　　⑲九州山地

【平野】
Ⓐ根釧台地　　　Ⓑ十勝平野　　　Ⓒ石狩平野（石狩川）

Ⓓ秋田平野　　　Ⓔ仙台平野（北上川）

Ⓕ越後平野（信濃川）　　　Ⓖ富山平野

Ⓗ関東平野（利根川）　　　Ⓘ濃尾平野（木曽川）

Ⓙ大阪平野（淀川）　　　Ⓚ讃岐平野

Ⓛ高知平野　　　Ⓜ筑紫平野（筑後川）

Ⓝ宮崎平野

【火山帯】
㋐千島火山帯　　　㋑那須火山帯　　　㋒鳥海火山帯

㋓富士火山帯　　　㋔乗鞍火山帯　　　㋕白山火山帯

㋖霧島火山帯

【海流】
ⓐ 7. 日本海流（黒潮）　　ⓘ 8. 対馬海流

ⓤ 9. 千島海流（親潮）　　ⓔ 10. リマン海流

	• second try •	• first try •
	年　月　日（　）	年　月　日（　）
🕐	：　〜　：	：　〜　：
☀☁☂（　）		
🌡 am・pm　℃		
😀😐😣😞😫		
1.		
2.		
3.		
4.		
5.		
6.		
7.		
8.		
9.		
10.		
11.		
12.		
13.		
14.		
15.		
16.		
17.		
18.		
19.		
20.		
21.		
22.		
23.		
24.		
25.		

➕ プラスチェック！

[日本の気候区分]

□太平洋岸気候…年間降水量が多い，季節風の影響／日本海岸気候…夏は高温・高湿度，冬は降水(雪)量が多い／南西諸島気候…冬も比較的高温／北海道気候…年間降水量が少ない。梅雨がない／中央高地気候…夏は涼しく冬は寒い／瀬戸内気候…温暖で雨が少ない

＊このページで覚えた知識を教師になってどう活かしたい？

＊あ！あれ何だっけ？　確認メモ！

中国の歴史書「『魏志』倭人伝」に邪馬台国が

日本古代の政治の成り立ちや，大陸からの影響などについて確認しよう。おもな人物について，時代の流れと合わせて把握しておこう。

歴史—①(古代)

時代		日本のできごと		世界のできごと
1万 縄文	8000	縄文時代が始まる	30C	古代文明が次々栄える
			5C	ギリシア文化が栄える
				仏教がおこる
3C 弥生	3C	弥生時代が始まる	221	1. 秦 が中国を統一
		大陸から金属器と稲作伝来	27	ローマ帝国がおこる
		小国家の分裂		
	B.C.			
	A.D.			
	239	邪馬台国の女王 2. 卑弥呼 が魏に使いを送る	1C	キリスト教がおこる
				3. シルクロード で漢とローマ
				帝国が結ばれ文化交流が始まる
4C 大和	4C	ヤマト政権	375	4. ゲルマン 民族が大移動を始める
		巨大な 5. 古墳 がつくられる	395	ローマ帝国分裂
		渡来人が漢字・儒教などを伝える	476	西ローマ帝国滅亡
	538	6. 仏教 が伝わる（552年の説もあり）	589	隋が中国を統一
592 飛鳥	604	7. 厩戸王(聖徳太子) が憲法十七条の制定		
	607	小野妹子が隋に派遣される	7C	8. ムハンマド(マホメット) が
	630	遣唐使が派遣される		イスラム教をおこす
	645	9. 大化改新 が起こる	618	唐が隋を滅ぼす
	701	大宝律令が制定される		
710 奈良	710	10. 平城京 に都を遷す		
	743	墾田永年私財法が出され土地私有が始まる		
	752	東大寺の大仏が造立される		
794 平安	794	11. 平安京 に都を遷す		
		最澄が天台宗，空海が真言宗を伝える		
	9C	藤原氏が摂関政治を始める		
	894	12. 菅原道真 が遣唐使を廃止する		
	1086	白河上皇が 13. 院政 を行う	1096	14. 十字軍 の遠征が始まる
	1167	15. 平清盛 が太政大臣になる		
	1185	源義経が平氏を 16. 壇の浦 で滅ぼす		

□「本をよく読むことで自分を成長させていきなさい。本は著者がとても苦労して身に
　付けたことを，たやすく手に入れさせてくれるのだ」ソクラテス

【飛鳥・奈良時代】
- ➤ 厩戸王（聖徳太子）…… 憲法十七条，冠位十二階の制定，遣隋使の派遣，法隆寺の建立。
- ➤ 17. 中大兄皇子 …… 大化改新で蘇我氏を滅ぼす，中臣鎌足と政治を行う。
- ➤ 18. 聖武天皇 …… 国分寺や国分尼寺の建立，東大寺の建立，天平文化が栄える。

【平安時代】
- ➤ 19. 藤原道長 …… 11世紀前半摂関政治を行う，子の頼通は平等院鳳凰堂を建立。
- ➤ 20. 白河上皇 …… 11世紀後半院政を行う。
- ➤ 21. 平清盛 …… 1159年平治の乱で源氏を破り政権確立，日宋貿易を行う。

• second try •	• first try •
年 月 日（ ）	年 月 日（ ）

1.〜25. (両欄とも空欄)

➕ プラスチェック！
□古代文明…メソポタミア文明，エジプト文明，中国文明，インダス文明。
□飛鳥時代…法隆寺金堂釈迦三尊像,法隆寺金堂壁画，薬師寺東塔，鞍作鳥。
□奈良時代…唐招提寺，正倉院宝庫（校倉造）。
□平安時代…比叡山延暦寺，高野山金剛峯寺。

＊このページで覚えた知識を教師になってどう活かしたい？

＊あ！あれ何だっけ？　確認メモ！

武士による政治の始まり

幕府の変遷，主要人物とその政策について把握しておこう。また，同時期の世界における革命などの動向について合わせて確認しておこう。

歴史—②（中世〜近世）

時代	日本のできごと		世界のできごと	
1185 鎌 倉	1192	源頼朝が征夷大将軍となる	1206	チンギス＝ハン即位
	1221	後鳥羽上皇が 1. 承久の乱 を起こす		
	1232	北条泰時が御成敗式目（貞永式目）を制定		
	1274	文永の役 ｝元寇		
	1281	弘安の役		
	1333	後醍醐天皇・足利尊氏らが鎌倉幕府を滅ぼす	14C	ルネサンスが始まる
（南北朝）	1334	2. 後醍醐天皇 が建武の新政を始める		
1338 室 町	1338	3. 足利尊氏 が征夷大将軍となる	1368	明建国
	1392	南北朝合一	1392	李氏朝鮮建国
	1404	足利義満が日明（勘合）貿易を始める		
（戦国時代）	1467	4. 応仁の乱 が起こり戦国の世となる	1492	5. コロンブス がアメリカに到達
		各地に戦国大名が出現	1517	ルターが九十五カ条の論題発表
	1543	ポルトガル人が種子島に漂着し 6. 鉄砲 が伝わる	1519	マゼランが世界周航出発
	1549	フランシスコ＝ザビエルがキリスト教を伝える	1558	エリザベス1世即位
	1560	桶狭間の戦い		
	1573	7. 織田信長 が室町幕府を滅ぼす		
1576 安 土 ・ 桃 山	1582	8. 本能寺 の変		
	1590	9. 豊臣秀吉 が全国を統一する		
	1592	文禄の役 ｝秀吉の朝鮮出兵		
	1597	慶長の役		
	1600	10. 関ヶ原 の戦い	1600	イギリスが東インド会社をつくる
1603 江 戸	1603	徳川家康が征夷大将軍になり江戸幕府を開く		
	1615	最初の武家諸法度を制定		
	1637	天草四郎を中心に 11. 島原の乱 が起こる	1642	ピューリタン革命
	1639	ポルトガル船の来航禁止，鎖国の完成	1688	12. 名誉革命
	1716	徳川吉宗が 13. 享保の改革 を行う	1776	アメリカ独立宣言
	1787	松平定信が 14. 寛政の改革 を行う	1789	フランス革命
	1837	大塩平八郎の乱	1804	ナポレオンが皇帝になる
	1841	水野忠邦が 15. 天保の改革 を行う		
	1853	16. ペリー 来航	1853	クリミア戦争
	1854	17. 日米和親条約 を結ぶ		
	1858	18. 日米修好通商条約 を結ぶ	1857	シパーヒーの大反乱
		井伊直弼が 19. 安政の大獄 を行う		
	1860	桜田門外の変	1861	南北戦争
	1866	薩長連合がなる		
	1867	徳川慶喜が 20. 大政奉還 。王政復古の大号令		

□ 「教育は幸運なる人々には飾りとなり，不運なる人々には避難所となる」デモクリトス

【鎌倉時代】

- ➤**源頼朝**…… 1185年守護・地頭を設置。
- ➤**後鳥羽上皇**…… 1221年北条氏を倒すため承久の乱を起こす。
- ➤**北条泰時**…… 1232年武士として最初の法律御成敗式目を制定。

【南北朝・室町時代】

- ➤**後醍醐天皇**…… 鎌倉幕府を倒し，1334年建武の新政を行う。
- ➤**足利義満**…… 1392年南北朝統一を実現。日明貿易。金閣を建立。
- ➤ 21. 足利義政 …… 将軍継嗣問題から1467年応仁の乱が起こる。銀閣を建立。

【戦国・安土桃山時代】

- ➤**織田信長**…… 1573年室町幕府を滅ぼす。本能寺で敗死。
- ➤**豊臣（羽柴）秀吉**…… 1590年全国統一。太閤検地を行う。刀狩で一揆を防止。
- ➤**千利休**…… 信長・秀吉に仕える，茶の湯の確立。

【江戸時代】

- ➤**徳川家康**…… 1600年関ヶ原の戦いで勝利。1603年に征夷大将軍となる。
- ➤ 22. 徳川家光 …… 参勤交代を制度化。1639年鎖国体制を完成。
- ➤ 23. 徳川綱吉 …… 生類憐みの令を発令。湯島に聖堂をつくる。
- ➤ 24. 新井白石 …… 6・7代将軍に仕える。正徳の政治といわれる。海舶互市新例（長崎新令・正徳新令）で貿易を制限。
- ➤**徳川吉宗**…… 1716年より享保の改革を行い，目安箱の設置，公事方御定書を制定。
- ➤**田沼意次**…… 商業を重視した経済政策，株仲間の公認。
- ➤**松平定信**…… 1787年より寛政の改革を行い，寛政異学の禁を出す。
- ➤**大塩平八郎**…… 陽明学者。1837年乱を起こす。
- ➤**水野忠邦**…… 1841年より天保の改革を行い，上知令を出す。
- ➤**井伊直弼**…… 1858年日米修好通商条約に調印，安政の大獄を行う。
- ➤ 25. 吉田松陰 …… 長州藩で松下村塾から多くの志士を輩出，安政の大獄で処刑される。
- ➤**坂本龍馬**…… 元土佐藩藩士，薩長同盟を実現。海援隊を結成。

• second try •

年 月 日（ ）
🕐 ： 〜 ：
☀ ☁ ☂ （ ）
🌡 am・pm ℃
😄 😐 ☹ 😣 😫

1.
2.
3.
4.
5.
6.
7.
8.
9.
10.
11.
12.
13.
14.
15.
16.
17.
18.
19.
20.
21.
22.
23.
24.
25.

• first try •

年 月 日（ ）
🕐 ： 〜 ：
☀ ☁ ☂ （ ）
🌡 am・pm ℃
😄 😐 ☹ 😣 😫

1.
2.
3.
4.
5.
6.
7.
8.
9.
10.
11.
12.
13.
14.
15.
16.
17.
18.
19.
20.
21.
22.
23.
24.
25.

➕ プラスチェック！

□鎌倉時代…東大寺南大門，円覚寺舎利殿，天竺様。
□室町時代…金閣，銀閣，書院造，枯山水，能楽。
□安土・桃山時代…城郭，唐獅子図屏風（狩野永徳），茶道（千利休）。
□江戸時代…日光東照宮，権現造，桂離宮（数寄屋造），風神雷神図屏風（俵屋宗達）。

＊このページで覚えた知識を教師になってどう活かしたい？

＊あ！あれ何だっけ？　確認メモ！

歴史──③(近代〜現代)

時代		日本のできごと		世界のできごと
1868 明 治	1868	五箇条の誓文を出す		
	1871	1. 廃藩置県 を行う	1871	ドイツ統一
	1873	徴兵令を実施する，地租改正を行う		
	1874	民撰議員設立の建白書が提出される		
	1877	2. 西南戦争 が起こる	1882	三国同盟締結
	1889	大日本帝国憲法が発布される		
	1894	日清戦争が起こる	1894	甲午農民戦争，東学の乱
	1895	3. 下関 条約が結ばれる		
	1902	4. 日英同盟 が結ばれる		
	1904	日露戦争が起こる		
	1905	5. ポーツマス 条約が結ばれる	1907	三国協商締結
	1910	大逆事件，6. 韓国 合併条約	1911	辛亥革命
1912 大 正	1914	第一次世界大戦に参戦	1914	第一次世界大戦が起こる
	1915	二十一カ条の要求		
	1918	米騒動が起こる，原敬内閣が成立	1918	第一次大戦終結
	1923	7. 関東大震災 が起こる	1919	ヴェルサイユ条約
	1925	普通選挙法・8. 治安維持法 が制定される	1921	ワシントン会議
1926 昭 和	1931	満州事変	1929	9. 世界恐慌 が起こる
	1932	五・一五事件		
	1936	二・二六事件		
	1937	10. 日中戦争 が起こる		
	1938	国家総動員法が制定される	1939	第二次世界大戦が起こる
	1940	日独伊三国同盟を結ぶ		
	1941	太平洋戦争が起こる	1943	イタリアが降伏
	1945	広島・長崎に原子爆弾が投下される	1945	ドイツが降伏
		ポツダム宣言受諾，戦争が終結する		国際連合が発足
		GHQが財閥解体など民主化を指令する		
	1946	日本国憲法が公布される	1949	中華人民共和国ができる
		農地改革を行う	1950	11. 朝鮮戦争 が起こる
	1951	サンフランシスコ平和条約に調印し独立する		
		日米安全保障条約を結ぶ	1955	アジア・アフリカ会議（AA会議， バンドン会議）
	1956	日ソ共同宣言を発表，12. 国際連合 に加盟	1967	EC発足
	1972	13. 沖縄 が返還される		
	1978	日中平和友好条約が結ばれる		

平　成

	14. ドイツ 統一	1990
	ソ連解体。15. 湾岸 戦争	1991
1995	阪神・淡路大震災	
1999	国旗国歌法が制定される	
2001	中央省庁が再編される　　米国同時多発テロ	2001
	16. EU 通貨統合	2002
	スマトラ沖大地震	2004
2006	17. 教育基本法 が改正される	
2011	東日本大震災	
2016	熊本地震。公職選挙法改正公布（選挙権が満18歳以上に）	
2018	環太平洋パートナーシップに関する包括的及び先進的な協定（TPP11協定）発行。平成30年7月豪雨（西日本豪雨）。北海道胆振東部地震	
2019	天皇生前退位	

令　和

2020	新型コロナウイルス感染症のパンデミック。政府が緊急事態宣言。オリンピック，パラリンピック延期。令和2年7月豪雨	
	18. イギリス がEU離脱	2020
2021	第32回オリンピック競技大会（2020／東京），第16回パラリンピック競技大会（2020／東京）	
2022	成年年齢が20歳から18歳に引き下げ。	
	ロシアが 19. ウクライナ に軍事侵攻	2022
	20. トンガ 王国で海底火山噴火	
	英国の女王エリザベス2世死去	
	トルコ・シリアで大地震発生	2023
	21. フィンランド がNATOに加盟	
2024	能登半島地震。	
	22. スウェーデン がNATOに加盟	2024

✚ プラスチェック！

[明治・大正時代の人物]
□板垣退助…1874年に民撰議院設立の建白書提出，自由民権運動家。
□伊藤博文…大日本帝国憲法草案を作成，初代内閣総理大臣になる。
□原敬…1918年の米騒動後，初の本格的政党内閣結成。

＊このページで覚えた知識を教師になってどう活かしたい？

＊あ！あれ何だっけ？　確認メモ！

人権思想の発達，今日における人権の種類について押さえておこう。また，日本の三権分立の仕組みについて把握しておこう。

公民—①（基本的人権，三権分立）

【日本国憲法（1946年11月3日公布　1947年5月3日施行）】

➤三原則…国民主権・ 1. 平和主義 （戦争放棄）・基本的人権の尊重

➤三大義務… 2. 教育 を受けさせる義務・納税の義務・勤労の義務

【天皇制】

①日本国の象徴，日本国民統合の象徴。　②内閣の助言と承認により国事行為を行う。

【人権思想の発達】

➤啓蒙思想家（17〜18世紀）

　 3. ロック …『市民政府二論』基本的人権の確立。

　 4. モンテスキュー …『法の精神』三権（立法・行政・司法）分立。

　 5. ルソー …『社会契約論』国民主権の原則。

➤人権思想の実現

　 6. 権利の章典 （イギリス）…1689年人権の保障と議会の権利を承認。

　 7. 独立宣言 （アメリカ）…1776年自由と平等を宣言。

　 8. 人権宣言 （フランス）…1789年人権保障と国民主権を宣言。

➤人権の発達

　 9. ワイマール （ヴァイマル）憲法…1919年世界で最初に社会権を保障。

　世界人権宣言…第3回国連総会で採択。

　国際人権規約…世界人権宣言の内容を具体化。

【人権の種類】

➤ 10. 自由権 …①**身体**の自由（奴隷的拘束や苦役からの自由，逮捕・拘禁などに対する保障等）　②**精神**の自由（思想・良心の自由，信教の自由，言論・表現・結社の自由等）　③**経済**の自由（居住・移転の自由， 11. 職業選択 の自由，　財産権の不可侵等）

➤ 12. 平等権 …法の下の平等，両性の本質的平等など。

➤ 13. 社会権 …①**生存権**「健康で文化的な 14. 最低限度 の生活を営む権利（憲法25条）」　②**労働基本権**（労働三権（**団結権**，団体交渉権，団体行動権）等）　③ 15. 教育 を受ける権利

➤人権を保障する権利

　① 16. 参政権 …選挙権，被選挙権，請願権など。

　② 17. 請求権 …裁判を受ける権利，賠償請求権，刑事補償請求権など。

【新しい人権】

▶憲法制定後の社会情勢の変化および情報化・技術化などに伴って，憲法制定時には想定されていなかった人権侵害が生じるようになった。そのため，人権規定には掲げられていない「新しい人権」を憲法上の権利として保障すべきであるという議論がなされるようになった。

▶「新しい人権」としてあげられているものに，| 18. プライバシー |の権利，環境権，知る権利などがある。

【三権分立】

▶三権分立…モンテスキューが『| 19. 法の精神 |』で主張。**立法権**を国会に，**行政権**を内閣に，**司法権**を裁判所に権力を分立させ権力の濫用を防ぐ。

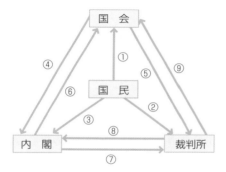

[**国民の権利**]　①国会議員の選挙
　　　　　　　　②| 20. 国民審査 |
　　　　　　　　③世論
[**国会の権利**]　④内閣総理大臣の指名・内閣不信任決議
　　　　　　　　⑤| 21. 弾劾裁判 |
[**内閣の権利**]　⑥| 22. 衆議院 |の解散
　　　　　　　　⑦最高裁判所長官の指名，他の裁判官の任命
[**裁判所の権利**]　⑧政令・命令・処分などの違憲審査
　　　　　　　　　⑨法律の| 23. 違憲立法審査権 |

✚ プラスチェック！

□日本国憲法の改正手続きに関する法律…国民投票法。2010年施行。
□憲法改正の手続きは，衆・参両議院総議員の3分の2以上の賛成で国会が改正の発議 →国民投票の過半数で承認 →天皇が国民の名で交付。

＊このページで覚えた知識を教師になってどう活かしたい？

＊あ！あれ何だっけ？　確認メモ！

国会・内閣・裁判所の働きと国民の関わりについて実生活に照らしつつ把握していこう。裁判員制度では，国民が司法に参加している。

公民─②(国会，内閣，裁判所)

【国会】

▶国会の地位…「国権の最高機関であり，唯一の 1.立法機関 」

▶国会のしくみ…衆議院・参議院の二院制

	衆 議 院	参 議 院
議員数	2. 465 人	3. 248 人
任期	4年	6年
選挙権	18歳以上	18歳以上
被選挙権	25歳以上	30歳以上
解散	あり	なし
選挙区	小選挙区比例代表並立制	選挙区選挙・比例代表制

▶国会の種類

① 4.通常国会 …毎年1回1月に召集，会期は**150日**，おもに次年度の予算編成。

② 5.臨時国会 …内閣が必要と認めたときいずれかの議院の総議員の**4分の1**以上の要求。

③ 6.特別国会 …衆議院総選挙から**30日**以内に召集，内閣総理大臣の指名が優先。

④緊急集会…衆議院の解散中，緊急の必要がある場合に参議院のみで開催。

▶国会の仕事

法律の制定，**予算**の議決，条約の承認，憲法改正の発議， 7.内閣総理大臣 の指名，内閣不信任案の決議（衆議院のみ），国政調査，弾劾裁判所の設置等。

▶衆議院の優越

①衆議院の 8.予算 先議権　②**内閣**不信任決議　③法律案の決議

④条約の承認　⑤**内閣総理大臣**の指名

▶国会の審議…本会議と委員会

【内閣】

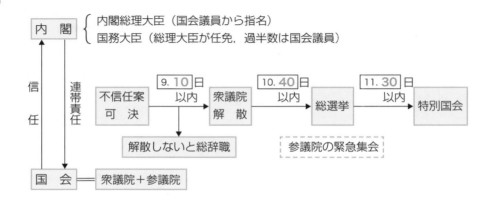

➤内閣の地位…行政権の最高権限を有し，各種の行政機関を指揮・監督する。

➤議院内閣制…内閣が国会の信任の上に成立し，12.国会 に対し連帯して責任を負う。

【裁判所】

➤司法権の独立…他の機関（立法・行政）から独立して職務を行う。

➤裁判官

①職務…良心に従い，憲法と法律のみに拘束される。

②身分保障…心身の故障，13.弾劾裁判 での決定，国民審査での不信任によるほかはやめさせられない。

③任命…最高裁判所長官は内閣が指名し 14.天皇 が任命，他の裁判官は内閣が任命。

➤裁判の種類

① 15.民事裁判 …おもに個人の権利に関して争う（行政裁判も含む）。原告…訴えた側，被告…訴えられた側

② 16.刑事裁判 …犯罪を犯した疑いのある者を裁く。

検察官…訴えた側，被告人…訴えられた側

➤裁判所の種類

① 17.簡易裁判所 …軽い訴訟を扱う裁判所。民事事件は訴額140万円を超えない請求事件，刑事事件は罰金以下の比較的軽い罪の訴訟事件等。

② 18.家庭裁判所 …家庭事件の審判・調停，非行のある少年の事件の審判。

③ 19.地方裁判所 …おもに第一審を扱う裁判所。各都道府県におかれる（北海道に4か所）。

④ 20.高等裁判所 …下級裁判所のうち最上位にある裁判所。おもに第二審，内乱罪の第一審，全国に8か所。

⑤ 21.最高裁判所 …司法裁判権を持つ。長官と14人の最高裁判所判事で構成。

➤三審制…3回まで裁判を受ける権利を保障。

例

```
地方      ─→     高等      ─→     最高
裁判所    控訴   裁判所    上告   裁判所
```

• second try •

年　月　日（　）

🕐 ：　～　：

☀ ☁ ☂（　　　）

🌡 am・pm　　℃

😀 😐 🙁 😣 😫

1.
2.
3.
4.
5.
6.
7.
8.
9.
10.
11.
12.
13.
14.
15.
16.
17.
18.
19.
20.
21.
22.
23.
24.
25.

• first try •

年　月　日（　）

🕐 ：　～　：

☀ ☁ ☂（　　　）

🌡 am・pm　　℃

😀 😐 🙁 😣 😫

1.
2.
3.
4.
5.
6.
7.
8.
9.
10.
11.
12.
13.
14.
15.
16.
17.
18.
19.
20.
21.
22.
23.
24.
25.

✚ プラスチェック！

□2016年6月，選挙権年齢が18歳に引き下げられた。少子高齢化により，若者の意見を政治に反映させるためなどによるもの。

□「民法の一部を改正する法律」が2022年4月1日より施行。成年年齢が18歳に引き下げられた。

□2005年より知的財産高等裁判所を設置。

＊このページで覚えた知識を教師になってどう活かしたい？

＊あ！あれ何だっけ？　確認メモ！

数と計算—①（文字式, 方程式）

【文字式】

基本のカクニン■指数の法則

$$a^m \times a^n = a^{m+n}$$

$$(a^m)^n = a^{mn}$$

$$(ab)^m = a^m b^m$$

$$a^m \div a^n = \begin{cases} \boxed{1.\ a^{m-n}} & (m > n) \\ \boxed{2.\ 1} & (m = n) \\ \dfrac{1}{a^{n-m}} & (m < n) \end{cases}$$

$a^0 = 1$, $a^{-n} = \dfrac{1}{a^n}$ とすれば，$a^m \div a^n = a^{m-n}$ となる。

【方程式】

基本のカクニン■1次方程式の解法

整理をして $ax = b$ の形にしてから解く。

$ax = b$ の解は，$a \neq 0$ のとき，$x = \dfrac{b}{a}$

$a = 0$ のとき，$\begin{cases} b \neq 0 \text{ ならば,} & \boxed{3.\ 解なし} \quad (不能) \\ b = 0 \text{ ならば,} & \boxed{4.\ 任意の数} \quad (不定) \end{cases}$

基本のカクニン■2次方程式の解法

① $x^2 = k$ の解法

両辺の平方根をとる → $\therefore x = \boxed{5.\ \pm\sqrt{k}}$

② $(x+a)^2 = k$ の解法

両辺の平方根をとる → $x + a = \pm\sqrt{k}$ $\therefore x = -a \pm \sqrt{k}$

③因数分解による解法

$ax^2 + bx + c = 0 \ (a \neq 0)$ が $(sx+t)(ux+v)$ とできるとき，

→ $\therefore x = \boxed{6.\ -\dfrac{t}{s}}$, $\boxed{7.\ -\dfrac{v}{u}}$

④解の公式による解法

$ax^2 + bx + c = 0 \ (a \neq 0)$ の解は，$x = \boxed{8.\ \dfrac{-b \pm \sqrt{b^2 - 4ac}}{2a}}$

例 題　次の方程式を解きなさい。

➤ $x - \dfrac{5x-3}{3} = 2 - 4x$

　　　$\boxed{9. \ 3x-(5x-3)} = \boxed{10. \ 6-12x}$　→両辺を３倍して分母を払う

　　　　　　　$10x = 3$　　　→x を左辺へ移項する

　　　　　　　$x = \boxed{11. \ \dfrac{3}{10}}$　　　→$ax=b$ の形

➤ $2x^2 - 3x + 1 = 0$　　　　➤ $x^2 + 3x - 2 = 0$

$(2x-1)(x-1) = 0$　　　　　$x = \dfrac{-3 \pm \sqrt{3^2 - 4 \times 1 \times (-2)}}{2 \times 1}$

$\therefore x = \boxed{12. \ \dfrac{1}{2}, \ 1}$　　　$= \boxed{13. \ \dfrac{-3 \pm \sqrt{17}}{2}}$

（因数分解による解法）　　（解の公式による解法）

【連立方程式】

➤ ３つの変数を含む１次方程式を３元１次方程式といい，この解法
は，一つずつ変数を消去していく。

➤ １次と２次の連立方程式の場合は，１次式を一つの変数について
解いて，２次方程式に代入する解法と，x, yについての対称式な
らば，$x+y=u$, $xy=v$とおくなどして，x, yについての２次方程
式 $\boxed{14. \ t^2 - ut + v = 0}$ について解く解き方がある。

例 題　次の連立方程式を解きなさい。

➤ $\begin{cases} x+y=7 \cdots\cdots① \\ y+z=8 \cdots\cdots② \\ z+x=9 \cdots\cdots③ \end{cases}$

$\boxed{15. \ ①-②}$（yを消去）　　　$x=4$を①，③に代入

$\begin{aligned} x+y &= 7 \\ -)\quad y+z &= 8 \\ \hline x\quad -z &= -1 \cdots\cdots④ \end{aligned}$　　　$\begin{aligned} 4+y=7, \quad z+4=9 \\ y=3 \qquad z=5 \end{aligned}$

$\boxed{16. \ ③+④}$（zを消去）　　　$\therefore x=4, \ y=3, \ z=5$

$\begin{aligned} x+z &= 9 \\ +)\quad x-z &= -1 \\ \hline 2x &= 8 \qquad x=4 \end{aligned}$

・second try・	・first try・
年　月　日（　）	年　月　日（　）
🕐 ：　～　：	🕐 ：　～　：
☀☁☂（　　）	☀☁☂（　　）
🌡 am・pm　　℃	🌡 am・pm　　℃
😀😐😟😣😫	😀😐😟😣😫
1.	1.
2.	2.
3.	3.
4.	4.
5.	5.
6.	6.
7.	7.
8.	8.
9.	9.
10.	10.
11.	11.
12.	12.
13.	13.
14.	14.
15.	15.
16.	16.
17.	17.
18.	18.
19.	19.
20.	20.
21.	21.
22.	22.
23.	23.
24.	24.
25.	25.

✚ プラスチェック！

[２次方程式の解の判別]

□ $ax^2 + bx + c = 0$（$a \neq 0$, a, b, cは実数）の解は，
判別式　$D = b^2 - 4ac$によって判別できる。

　　$D > 0$：異なる２つの実数解 ⎫
　　$D = 0$：重解　　　　　　　 ⎬ $D \geqq 0$：実数解
　　$D < 0$：異なる２つの虚数解 ⎭

＊このページで覚えた知識を教師になってどう活かしたい？

＊あ！あれ何だっけ？　確認メモ！

どんな計算問題も基本の四則計算を正確に

根号の計算について，分母の有理化や二重根号のはずしかたを，また，最大公約数・最小公倍数の求め方について確認しておこう。

数と計算──②(根号計算，最大公約数・最小公倍数)

【根号の計算】

基本のカクニン

■$a>0$，$b>0$，$k>0$のとき

$$\sqrt{a}\sqrt{b}=\sqrt{ab}, \quad \frac{\sqrt{a}}{\sqrt{b}}=\sqrt{\frac{a}{b}}, \quad \sqrt{k^2a}=\boxed{1.\ k\sqrt{a}}$$

■分母の有理化

①$\dfrac{a}{\sqrt{b}}=\boxed{2.\ \dfrac{a\sqrt{b}}{(\sqrt{b})^2}}=\boxed{3.\ \dfrac{a\sqrt{b}}{b}}$

②$\dfrac{c}{\sqrt{a}+\sqrt{b}}+\dfrac{c(\sqrt{a}-\sqrt{b})}{(\sqrt{a}+\sqrt{b})(\sqrt{a}-\sqrt{b})}=\boxed{4.\ \dfrac{c(\sqrt{a}-\sqrt{b})}{a-b}}$

■二重根号

$\sqrt{p\pm2\sqrt{q}}$のとき，$p=a+b$，$q=ab$とする。a，bは（$a>b>0$）とおくと，

$$\sqrt{p\pm2\sqrt{q}}=\sqrt{(a+b)\pm2\sqrt{ab}}=\boxed{5.\ \sqrt{a}\pm\sqrt{b}}$$

例題1 $\dfrac{3-\sqrt{5}}{2+\sqrt{5}}$ を有理化しなさい。

$$\frac{3-\sqrt{5}}{2+\sqrt{5}}=\frac{(3-\sqrt{5})\boxed{7.\ (2-\sqrt{5})}}{(2+\sqrt{5})\boxed{6.\ (2-\sqrt{5})}}=\frac{11-5\sqrt{5}}{-1}=-11+5\sqrt{5}$$

例題2 $\sqrt{12-6\sqrt{3}}$ の二重根号をはずしなさい。

$$\text{与式}=\sqrt{12-(2\times3)\sqrt{3}}$$

$$=\boxed{8.\ \sqrt{12-2\sqrt{3^2\times3}}} \qquad →\text{中の根号の前を2にする}$$

$$=\sqrt{12-2\sqrt{27}} \qquad →9+3=12,\ 9\times3=27$$

$$=\sqrt{\boxed{9.\ (9+3)}-2\sqrt{\boxed{10.\ (9\times3)}}} \qquad\ \ a+b \qquad\quad a\times b$$

$$=\sqrt{9}-\sqrt{3} \qquad →\sqrt{(a+b)-2\sqrt{ab}}=\sqrt{a}-\sqrt{b}\text{ のとき，}a>b\text{に注意すること}$$

$$=\boxed{11.\ 3-\sqrt{3}}$$

【最大公約数，最小公倍数】

▶最大公約数（G.C.M.）とは，公約数のうち，
次数のもっとも 12. 高 いものをいう。

▶最小公倍数（L.C.M.）とは，公倍数のうち，
次数のもっとも 13. 低 いものをいう。

▶最大公約数（G.C.M.）と，最小公倍数（L.C.M.）の性質
二つの整数A，Bの最大公約数をG，最小公倍数をLとし，A，Bを
Gで割った商をa，bとするとき，次が成立する。

①a，bは互いに素

②$A = aG$，$B = bG$

③$L = abG = Ab = aB$，$LG = AB$

例題 次の最大公約数（G.C.M.），最小公倍数（L.C.M.）を求
めなさい。

(1) 36，54

$\underline{2)\ 36\quad 54}$　最大公約数

$\underline{3)\ 18\quad 27}$　　14. $2×3×3$ $= 18$

$\underline{3)\ \ 6\quad\ \ 9}$　最小公倍数

　　$2\quad\ \ 3$　　15. $2×3×3×2×3$ $= 108$

$$
\begin{array}{l}
36 = \boxed{2} \times 2 \times \boxed{3} \times \boxed{3} \\
54 = \boxed{2} \qquad \times \boxed{3} \times \boxed{3} \times 3
\end{array}
$$
　　　$2\qquad \times 3 \times 3$　←最大公約数
　　　$2 \times 2 \times 3 \times 3 \times 3$　←最小公倍数

(2) $(x-1)^3(x+2)^2$，$(x-1)^2(x+2)^3$

$\boxed{(x-1)(x-1)}(x-1)\boxed{(x+2)(x+2)}$
$\boxed{(x-1)(x-1)}\qquad\quad \boxed{(x+2)(x+2)}(x+2)$

$(x-1)(x-1)\qquad (x+2)(x+2)$　　　←G.C.M.
$(x-1)(x-1)(x-1)(x+2)(x+2)(x+2)$　←L.C.M.

　　最大公約数は， 16. $(x-1)^2(x+2)^2$ ，
　　最小公倍数は， 17. $(x-1)^3(x+2)^3$

年　月　日（　）
☀ ☁ ☂ （　）
am・pm　　℃

年　月　日（　）
☀ ☁ ☂ （　）
am・pm　　℃

1.
2.
3.
4.
5.
6.
7.
8.
9.
10.
11.
12.
13.
14.
15.
16.
17.
18.
19.
20.
21.
22.
23.
24.
25.

➕ プラスチェック！

[解と係数の関係]
　$ax^2 + bx + c = 0$ の2つの解をα，βとすると，
　$\alpha + \beta = -\dfrac{b}{a}$，$\alpha\beta = \dfrac{c}{a}$

＊このページで覚えた知識を教師になってどう活かしたい？

＊あ！あれ何だっけ？　確認メモ！

式の展開公式と因数分解の公式は逆の関係

因数分解について，主要な公式について覚えておくようにしよう。また，いろいろなケースにおける三角形の長さや面積の求め方について確認しておこう。

式の展開・因数分解, 図形

【式の展開】

基本のカクニン■展開の公式

$(a+b)^2 =$ 1. $a^2+2ab+b^2$

$(a-b)^2 =$ 2. $a^2-2ab+b^2$

$(a+b)(a-b) =$ 3. a^2-b^2

$(x+a)(x+b) = x^2+(a+b)x+$ 4. ab

$(a+b)^3 = a^3+3a^2b+$ 5. $3ab^2+b^3$

$(a-b)^3 = a^3-3a^2b+$ 6. $3ab^2-b^3$

$(a+b+c)^2 = a^2+b^2+c^2+$ 7. $2ab+2bc+2ca$

$(a+b)(a^2-ab+b^2) =$ 8. a^3+b^3

$(a-b)(a^2+ab+b^2) =$ 9. a^3-b^3

【因数分解】

基本のカクニン■因数分解の公式

$ta \pm tb \pm tc = t(a \pm b \pm c)$

$a^2 \pm 2ab + b^2 =$ 10. $(a \pm b)^2$

$a^2 - b^2 =$ 11. $(a+b)(a-b)$

$x^2 + (a+b)x + ab =$ 12. $(x+a)(x+b)$

$acx^2 + (bc+ad)x + bd =$ 13. $(ax+b)(cx+d)$

$a^3 \pm b^3 =$ 14. $(a \pm b)(a^2 \mp ab + b^2)$

$a^3 \pm 3a^2b + 3ab^2 \pm b^3 =$ 15. $(a \pm b)^3$

【三角形の辺の長さ】

例題　BC∥DEのとき，xの長さを求めなさい。

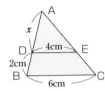

△ABCと△ADEは，| 16. 相似 |である。

| 17. x |：| 18. $x+2$ |＝4：6

$x=$| 19. 4 |（cm）

【三角形の面積（S：面積）】

・基本のカクニン・

▶3辺の長さがわかっているとき（ヘロンの公式）

$S=$| 20. $\sqrt{s(s-a)(s-b)(s-c)}$ |

ただし，$S=\dfrac{1}{2}(a+b+c)$

▶2辺とその間の角がわかっているとき

$S=$| 21. $\dfrac{1}{2}bc-\sin\theta$ |

例題　次の三角形の面積を求めなさい。

3辺が，5，7，9cmであるから

$S=$| 22. $\dfrac{1}{2}(5+7+9)=\dfrac{21}{2}$ |

よって

$S=\sqrt{\dfrac{21}{2}\left(\dfrac{21}{2}-5\right)\left(\dfrac{21}{2}-7\right)\left(\dfrac{21}{2}-9\right)}$

$=$| 23. $\dfrac{21\sqrt{11}}{4}$ |cm^2

• second try •	• first try •
年　月　日（　）	年　月　日（　）
🕐　：　～　：	🕐　：　～　：
☀ ☁ ☂（　　）	☀ ☁ ☂（　　）
🌡 am・pm　℃	🌡 am・pm　℃
😊 😐 😟 😣 😫	😊 😐 😟 😣 😫

1.	1.
2.	2.
3.	3.
4.	4.
5.	5.
6.	6.
7.	7.
8.	8.
9.	9.
10.	10.
11.	11.
12.	12.
13.	13.
14.	14.
15.	15.
16.	16.
17.	17.
18.	18.
19.	19.
20.	20.
21.	21.
22.	22.
23.	23.
24.	24.
25.	25.

➕ プラスチェック！

[三角形の相似条件／2つの三角形は次のそれぞれの場合に相似となる]

□対応する3組の辺の比がすべて等しい。

□対応する2組の辺の比とその間の角がそれぞれ等しい。

□対応する2組の角がそれぞれ等しい。

＊このページで覚えた知識を教師になってどう活かしたい？

＊あ！あれ何だっけ？　確認メモ！

chapter 17

理科の分野について，それぞれ基本的な事項や公式について確認しておこう。物理系では力のつりあい，生物系では化学式を含めた光合成のしくみについてなどを押さえておこう。

理科のおもな内容

【滑車】

基本のカクニン

■定滑車

■動滑車

➤加える力の方向を変える。

➤力の 1. **大きさ** は変わらない。

➤加える力の大きさを 2. **半分** にする。

➤ひもを引く長さが 3. **2** 倍になる。

【斜面の物体】

基本のカクニン

■摩擦力

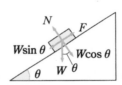

➤物体が静止しているとき，

$W \sin \theta =$ 4. F ， $W \cos \theta =$ 5. N が成り立つ。なお， $W \Rightarrow W \sin \theta + W \cos \theta$

（W：重力，N：垂直抗力，F：摩擦力，$W \sin \theta$：斜面にそって落ちる力，$W \cos \theta$：斜面を垂直に押す力）

【自由落下】

基本のカクニン

➤t 秒後の速度をv (m/s)，そのときの位置をy(m)
とすると，（$g \fallingdotseq 9.8 \mathrm{m/s}^2$）

$$v = \boxed{6.\ gt} \qquad y = \frac{1}{2}gt^2 \qquad v^2 = 2gy$$

$v_0 = 0$

$y = \frac{1}{2}gt^2$

g

時刻 t

v

【光合成】

▶緑色植物は，7.葉緑体 中の同化色素によって光エネルギーを吸収し，炭水化物を合成する。これを 8.光合成 という。

▶光合成の反応には，光エネルギーを必要とする 9.明反応 と，光を必要としないで酵素の働きでブドウ糖を生成する 10.暗反応 があり，連続して行われる。

▶明反応…11.光 による水の分解，$NADPH_2$・O_2の生成，ATP（光リン酸化反応）の生成，葉緑体の 12.チラコイド で起こる。

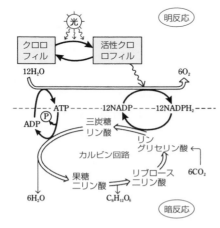

▶暗反応…13.カルビン 回路によってCO_2を還元し，14.糖 を生成，葉緑体のストロマで起こる。

$$15.6 \ CO_2 + 12H_2O + 光エネルギー$$
$$\rightarrow C_6H_{12}O_6 + 6 \ 16.H_2O + 17.6 \ O_2$$

【地震】

▶18.震度 とは，ある地点の地震動の強さを表す尺度をいう。震度階級は，0，1，2，3，4，5弱，5強，6弱，6強，7の10階級。

▶マグニチュードとは，震源における地震の 19.規模，地震そのもののエネルギーをいう。マグニチュードが 20.1 大きくなると，地震によるエネルギーは約 21.32 倍になり，振幅は 22.10 倍になる。

〔震源距離の算出〕

23.早 く伝わるP波，24.遅 く伝わるS波の速さをそれぞれ，V_P，V_Sとし，測定された，初期微動継続時間（P−S時間）をtとするとき，震源（までの）距離Dは，$D = \dfrac{V_P \times V_S}{V_P - V_S} \times t$ で求められる。

• second try •

年 月 日（ ）
🕐 ： ～ ：
☀ ☁ ☂ （ ）
🌡 am・pm ℃
😀 😐 🙁 😣 😫

1.
2.
3.
4.
5.
6.
7.
8.
9.
10.
11.
12.
13.
14.
15.
16.
17.
18.
19.
20.
21.
22.
23.
24.
25.

• first try •

年 月 日（ ）
🕐 ： ～ ：
☀ ☁ ☂ （ ）
🌡 am・pm ℃
😀 😐 🙁 😣 😫

1.
2.
3.
4.
5.
6.
7.
8.
9.
10.
11.
12.
13.
14.
15.
16.
17.
18.
19.
20.
21.
22.
23.
24.
25.

➕ プラスチェック！

□太陽系の惑星……水星・金星・地球・火星・木星・土星・天王星・海王星

□夏の三角形……はくちょう座（デネブ），わし座（アルタイル），こと座（ベガ）

□冬の三角形……オリオン座（ベテルギウス），おおいぬ座（シリウス），こいぬ座（プロキオン）

*このページで覚えた知識を教師になってどう活かしたい？

*あ！あれ何だっけ？　確認メモ！

外国人幼児が在籍する幼稚園も

多様化の時代，英語教育を導入する幼稚園もみられる。日常使いの単語や英会話など，身近な出来事を想定しての英語表現について確認しておこう。

会話表現・英語表現

【お店で】

○ **Can** I help you? ／ **May** I help you? ／ What can I do for you?　　　いらっしゃいませ。

○ Can I try it on?　　　着てみていいですか？

○ Please show me another.　　　ほかのを見せてください。

○ I'll take it.　　　これをいただきます。

○ Thank you. I'm 1. just 2. looking .　　　ありがとう。見ているだけです。

【電話で】

A：Hello. May〔Can〕I speak to Miss. Hirai?　　　A：もしもし，平井さんをお願いします。

B：Who's 3. calling please?　　　B：どちら様ですか。

A：This is Kobayashi (speaking).　　　A：小林と申します。

B：**Hold on** please.　　　B：お待ち下さい。

○ I'm sorry, she is not in.　　　ただいま席をはずしております。

○ **May** I take a message?　　　ご伝言を承りましょうか。

○ The line is **busy** now.　　　ただいま話し中です。

○ You have the 4. wrong number.　　　番号をお間違えです。

【道路で】

○ **Could you** tell me the way **to** the station?　　　駅への道を教えていただけませんか。

○ I'm a stranger here.　　　この辺りはわからないんです。

○ 5. How 6. far is it **from** here **to** the station?　　　ここから駅までどのくらいですか。

○ It takes about 20 minutes **by** bus.　　　バスでだいたい20分です。

○ You are welcome. ／ Don't mention it. ／ It's no trouble at all.　　　どういたしまして。

【その他】

○ どうしたのですか？　　　7. What's the 8. matter 9. with you?

○ おなかが痛いんです。　　　I 10. have a stomachache.

○ それはいけませんね。お大事に。　　　That's too bad. 11. Take care 12. of yourself.

○ お願いがあるのですが。　　　May I ask you a 13. favor ?

○ もう一度言ってください。　　　I 14. beg your 15. pardon ?

○ 用意はいいですか？　　　Are you ready?

○ それでは，また。　　　See you again.

【号令】

➤気をつけ……| 16. Attention |！

➤前へならえ……Stand at arm's length!

➤右向け右……Right face!

➤回れ右……About face!／About turn!

➤前へ進め……Forward march!

➤駆け足……On the double!／Double time!

➤止まれ……Stop!／Halt!

➤休め……At ease!

➤位置について……On your mark!

➤ようい どん……Get set! Go!

【学習用品】

➤消しゴム……eraser／rubber

➤のり……glue

➤セロハンテープ……adhesive tape／scotch tape

➤えんぴつ……pencil

【遊具・遊び】

➤ブランコ……| 17. swing |

➤鉄棒……chin-up bar

➤すべり台……slide

➤砂場……sandbox

➤鬼ごっこ……| 18. tag |

➤かくれんぼ……| 19. hide-and-seek |

【学校等】

➤保育園（所）……| 20. nursery | school（center）

➤幼稚園……| 21. kindergarten |

【学校の生活】

➤入学式……entrance ceremony

➤学期……| 22. term |

➤出席簿……roll book

➤遅刻……tardiness

➤卒業式……graduation ceremony／commencement

• second try •	• first try •
年 月 日（ ）	年 月 日（ ）
🕐 ： ～ ：	🕐 ： ～ ：
☀ ☁ ☂（ ）	☀ ☁ ☂（ ）
✏ am・pm ℃	✏ am・pm ℃
😀 😐 ☹ 😫 😵	😀 😐 ☹ 😫 😵
1.	1.
2.	2.
3.	3.
4.	4.
5.	5.
6.	6.
7.	7.
8.	8.
9.	9.
10.	10.
11.	11.
12.	12.
13.	13.
14.	14.
15.	15.
16.	16.
17.	17.
18.	18.
19.	19.
20.	20.
21.	21.
22.	22.
23.	23.
24.	24.
25.	25.

➕ プラスチェック！

［教科・科目の英語表現］

□国語…Japanese language，社会…social studies

□数学…mathematics，理科…natural science

□音楽…music，美術…fine arts，保健…health

□体育…physical education

□家庭科…home economics

＊このページで覚えた知識を教師になってどう活かしたい？

＊あ！あれ何だっけ？　確認メモ！

子供の学びの連続性を確保

幼稚園は集団における基本的生活習慣を育成し，小学校は幼稚園教育を踏まえ規律ある学校生活を送ることができるよう指導することが求められている。

幼稚園と小学校との関連

【教育の目的】

幼　稚　園	小　学　校
▶学校教育法第22条 　幼稚園は，義務教育及びその後の教育の基礎を培うものとして，幼児を 1. 保育 し，幼児の健やかな成長のために適当な環境を与えて，その心身の発達を 2. 助長 することを目的とする。	▶学校教育法第29条 　小学校は，心身の発達に応じて，義務教育として行われる 3. 普通教育 のうち 4. 基礎的なもの を施すことを目的とする。

【保育・教育目標】

⇩　この段の２行目以降は，学校教育法第21条の目標各号を，左段の幼稚園の各目標に対応すると考えられる順に記載（第２号，第10号は省略）。

幼　稚　園	小　学　校
▶学校教育法第23条 　幼稚園における教育は，前条に規定する目的を実現するため，次に掲げる目標を達成するよう行われるものとする。	▶学校教育法第30条① 　小学校における教育は，前条に規定する目的を実現するために必要な程度において第21条各号に掲げる目標を達成するよう行われるものとする。
1　健康，安全で幸福な生活のために必要な 5. 基本的 な習慣を養い，6. 身体諸機能 の調和的発達を図ること。	8　健康，安全で幸福な生活のために必要な習慣を養うとともに，運動を通じて体力を養い，7. 心身 の調和的発達を図ること。
2　8. 集団生活 を通じて，喜んでこれに参加する態度を養うとともに家族や身近な人への 9. 信頼感 を深め，自主，自律及び 10. 協同 の精神並びに 11. 規範意識 の芽生えを養うこと。	1　学校内外における 12. 社会的活動 を促進し，自主，自律及び 13. 協同 の精神，14. 規範意識，公正な判断力並びに 15. 公共 の精神に基づき主体的に社会の形成に参画し，その発展に寄与する態度を養うこと。
3　身近な社会生活，生命及び自然に対する興味を養い，それらに対する正しい理解と態度及び思考力の 16. 芽生え を養うこと。	3　我が国と郷土の現状と歴史について，正しい理解に導き，伝統と文化を尊重し，それらをはぐくんできた我が国と郷土を愛する態度を養うとともに，進んで外国の文化の理解を通じて，他国を尊重し，国際社会の平和と発展に寄与する態度を養うこと。
	4　家族と家庭の役割，生活に必要な衣，食，住，情報，産業その他の事項について基礎的な理解と 17. 技能 を養うこと。
	6　生活に必要な数量的な関係を正しく理解し，18. 処理 する基礎的な能力を養うこと。
	7　生活にかかわる自然現象について，観察及び実験を通じて，19. 科学 的に理解し，20. 処理 する基礎的な能力を養うこと。

4　日常の会話や，絵本，童話等に親しむことを通じて，21.言葉の使い方 を正しく導くとともに，相手の話を理解しようとする態度を養うこと。	5　22.読書 に親しませ，生活に必要な 23.国語 を正しく理解し，使用する基礎的な能力を養うこと。
5　音楽，身体による表現，造形等に親しむことを通じて，豊かな感性と表現力の芽生え を養うこと。	9　生活を明るく豊かにする音楽，美術，文芸その他の芸術について基礎的な理解と技能 を養うこと。

【教育課程の基準】

幼　稚　園	小　学　校
▶学校教育法施行規則第38条　　幼稚園の教育課程その他の保育内容については，この章に定めるもののほか，教育課程その他の保育内容の基準として文部科学大臣が別に公示する 24.幼稚園教育要領 によるものとする。	▶学校教育法施行規則第52条　　小学校の教育課程については，この節に定めるもののほか，教育課程の基準として文部科学大臣が別に公示する 25.小学校学習指導要領 によるものとする。

・second try・

年　月　日（　）
🕐　：　～　：
☀　☁　☂（　　）
✎ am・pm　　　℃
😀　😐　☹　😣　😫

1.
2.
3.
4.
5.
6.
7.
8.
9.
10.
11.
12.
13.
14.
15.
16.
17.
18.
19.
20.
21.
22.
23.
24.
25.

・first try・

年　月　日（　）
🕐　：　～　：
☀　☁　☂（　　）
✎ am・pm　　　℃
😀　😐　☹　😣　😫

1.
2.
3.
4.
5.
6.
7.
8.
9.
10.
11.
12.
13.
14.
15.
16.
17.
18.
19.
20.
21.
22.
23.
24.
25.

➕ プラスチェック！

□第1学年入学当初における生活科を中心とした合科的な指導については，新入生が，幼児教育から小学校教育へと円滑に移行することに資するものであり，幼児教育との連携の観点から工夫することが望まれる。

＊このページで覚えた知識を教師になってどう活かしたい？

＊あ！あれ何だっけ？　確認メモ！

chapter 20 信頼という確かな気持ちが幼児の発達を支える

発達過程における愛着と信頼の重要性について押さえておこう。幼稚園生活においては，何よりも教師との信頼関係を築くことが必要である。

愛着と信頼

【ボウルビィの愛着（ 1. アタッチメント ）】

愛着行動

2. 定位 行動
- 生得的行動…………人の顔を好んで注視する。
  声のするほうに顔を向け鎮静する。
- 目標修正的行動……母親を他人と区別して，目や耳で母親の存在を確かめたり動きを追ったりする。

3. 発信 行動
- 生得的行動…………泣き叫ぶ，微笑む，喃語(なんご)を発したりする。
- 目標修正的行動……泣き叫びの強度を調整する，呼び求める，両腕を上げたり手をたたいたりして歓迎を示す，かんしゃくを起こす。

4. 接近 行動
- 生得的行動…………握る，見つめる，食べることと無関係な吸引。
- 目標修正的行動……しがみつく，探し求める，後を追う。

【愛着の発達過程（Schaffer&Emerson,1964）】

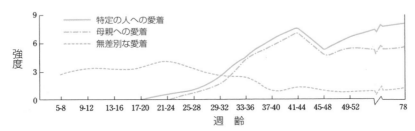

【 5. エインズワース の安全基地】

【ローレンツの刻印づけ（ 8. インプリンティング ）】

　鳥類が卵から孵化して最初に目に入った動く対象に愛着を抱き後を追うことを発見した。 9. 生理的欲求 の充足とは関係ない対象の後をついて歩いたことから，後追い自体が生来プログラムされた行動であることを検証した。

【 10. ハーロウ の代理母模型】

　生まれたばかりの子ザルを2種類の代理母模型（針金製および針金を柔らかい布でおおったもの）で飼育する実験を行い，各模型から授乳される子ザルの行動を比較した。両者とも授乳時以外は布模型に接触して過ごすことが確認された。また，見慣れないぬいぐるみのような恐怖刺激を与えると，両者とも布製模型のほうにしがみついた。このことから子ザルにとって生理的欲求の充足が 11. 愛着 形成の主要因とはいえず， 12. 接触 の快感が重要であることが明らかになった。

【母子相互作用】

　生後数日間に同時的に起こる相互作用（Klaus&Kennell,1976）

母から子へ

1　タッチ（ふれあい）
2　目と目を合わす
3　調子の高い声
4　エントレインメント
5　timegiver
6　T及びBリンパ球, 大食細胞
7　鼻腔内細菌叢
8　におい
9　温熱

子から母へ

目と目を合わす　1
啼泣　2
オキシトシン　3
プロラクチン　4
におい　5
エントレインメント　6

✚ プラスチェック！

□幼児は，信頼する大人に自分の存在を認めてもらいたい，愛されたい，支えられたいという気持ちをもっている。

□幼稚園生活では，幼児は教師を信頼し，その信頼する教師によって受け入れられ，見守られているという安心感をもつことが必要である。

＊このページで覚えた知識を教師になってどう活かしたい？

＊あ！あれ何だっけ？　確認メモ！

幼児期は遊ぶこと自体が目的

幼児の遊びに無駄はない。遊びながら様々なことを学習し吸収しているといえる。遊び方の発達や遊ぶことの価値について確認しておこう。

遊び

【遊び方の発達】

	1歳未満	1〜2歳	3〜4歳	5〜6歳
1. 運動遊び 手足や身体の運動能力を育てる	―	カタカタ	ブランコ すべり台 ボール投げ	なわとび 自転車
2. 構成遊び ものを組み立てたり，絵を描いたりして創造力や構成力を豊かにする	―	ボール遊び 積み木遊び	お絵かき	折り紙
3. 模倣・想像遊び 身近な生活や絵本などで，見たり聞いたりしたことのまねをすることにより，表現力や想像力を豊かにする	―	人形遊び	電車ごっこ 電話ごっこ	ままごと
4. 受容遊び 見たり，聞いたりすることで，知的能力を育てる	―	絵本	テレビ　ビデオ　紙芝居	音楽をきく
5. 感覚遊び 自分で遊びながら感覚を発達させる	ガラガラ	たいこ	タンバリン	木琴

【ビューラーの興味の変化による遊びの発達】

遊びの分類	内容
6. 機能 遊び	身体的機能を使用する遊びであり，乳児期から現れる。使用される機能によって次の2つに分類される。 ①感覚遊び……物をなめる，音を聞く，物に触ってみるというように，感覚器官を使用する遊び。 ②運動遊び……紙を破る，自転車乗り，サッカーのように，運動機能が発達すると現れる遊び。
7. 想像 遊び 象徴遊び	象徴機能が発達することによって現れ，ままごとや怪獣ごっこのように，外界の事象を模倣することによって喜びを感じる。
8. 受容 遊び	絵本を読む，童話を聞く，テレビを見るなどのように鑑賞することに喜びを感じる。
9. 構成 遊び	ブロック遊び，砂遊び，工作のように自分でイメージしたものをつくりだす遊び。

【遊びの価値】

➤ 遊ぶことの教育的な価値として，知性の発達や，思いやり，善悪の判断といった道徳的な発達，情緒の発達，また，友達と自分とを比較する体験などから 10. 自我意識 が発達することなどがあげられる。

➤ 遊ぶことは身体的な発達に支えられていることが多く，そしてまた，遊ぶことによって身体や運動機能は発達する。

➤ 遊びによって， 11. 抑圧 されていた情緒を表出したり，現実の生活では充足できないような願望を満たせることで，精神的に安定することが考えられる。

【屋内の安全な遊び場所】

➤ 大人の 12. 目 の届くところで遊ばせる。

➤ 机や椅子，教具などは角が 13. 丸く なっているものを選ぶ。

➤ 暖房器具がある場合には 14. サークル をつけるなどする。

➤ 危険物は手の届かない所や見えない所に置く。

➤ 木製品は 15. 釘 が出ていないか確認する。

• second try •	• first try •
年 月 日（ ）	年 月 日（ ）
🕐 ： ～ ：	🕐 ： ～ ：
☀ ☁ ☂ （ ）	☀ ☁ ☂ （ ）
am・pm ℃	am・pm ℃
😃 😐 😟 😣 😫	😃 😐 😟 😣 😫

second try	first try
1.	1.
2.	2.
3.	3.
4.	4.
5.	5.
6.	6.
7.	7.
8.	8.
9.	9.
10.	10.
11.	11.
12.	12.
13.	13.
14.	14.
15.	15.
16.	16.
17.	17.
18.	18.
19.	19.
20.	20.
21.	21.
22.	22.
23.	23.
24.	24.
25.	25.

✚ プラスチェック！

[屋外の安全な遊び場所]

□広く，安心して遊べる場所，園庭。

□道路には出られないようにする（自動車注意）。

□水の事故には十分気をつける。

□砂場や園庭などに石がないか確認する。

□地域や保護者が協力し，安全な場所を増やす。

＊このページで覚えた知識を教師になってどう活かしたい？

＊あ！あれ何だっけ？　確認メモ！

言葉の習得は幼児期の大切な発達課題

言葉の発音が社会性や思考力も高め，感受性を豊かにする。幼児の言語の発達段階について
確認しておこう。また，発達を促す言葉遊びについて確認しよう。

言葉の発達

【幼児の言語】

①言語以前……出生～1か月

　不快時に泣く。

②喃語……1か月～8，9か月

　「ウング，ウング」といった，嬰児のまだ 1.言葉 にならない段階の声。

③初語……8，9か月～1歳6か月ごろ

　ある特定の意味をもった最初の音声の使用。食事を「マンマ」など。

④単語から文へ……1歳6か月ごろ～3歳

　言葉の理解が深まり，大人との接触の中で単語を覚える。

　やがて二語文，三語文となり単語が続くようになるが 2.助詞 は使えない。

⑤言葉を使いこなす……3～5歳

　日常の体験を文章として表現できるようになる。筋の通った**会話**ができるようになる。

⑥思考を働かせる言葉を使う……5～6歳

　はじめに 3.独り言 が現れる。やがて**思ったこと**を文章としてきちんと表現できるようになる。

【言葉遊び】

① 4.音 を中心とする（3～4歳）

　　例　しりとり遊び

　　　人の話を聞いて，自分の知っている適切な言葉を探す。

　　例　頭音遊び

　　　頭に「あ」のつくものなど，ある条件の下に適切な言葉を探す。

② 5.語 を中心とする（4～5歳）

　　例　早口言葉

　　　大きく口を開けて早く言葉を話す。

　　例　○○なあに

　　　「赤いものなあに」と言って，「りんご」「花」などと答える。

　　例　誰でしょう

　　　「私は誰でしょう」と言い，ヒントを与えていき，適切なものを答える。

③ 6.文 を中心とする（5～6歳）

　　例　伝言遊び……人の話をよく聞きそれを伝える。

【言語の種類】

▶ 7.擬音 語・擬声語

音の響きや人や動物の音声をまねてつくった語。

「さらさら」「ざあざあ」「きゃあきゃあ」「ワンワン」の類。

▶ 8.擬態 語

見た感じや触った感じ（聴覚以外の感覚印象）を言語音に表す語。

「にやにや」「ふらふら」「ゆったり」の類。

【幼児の言語の発達段階】

年齢	言葉の数,文の長さ	文例・発音	理解
1歳	数語 1語文	「ママ」「パパ」「おてて」「おめめ」「あんよ」 ア・イ・ウ・タ・ダの音,マ・バ・パ・ナ行。	その言葉で表されたものがわかるようになる。
2歳	約300語 2語文	「ブーブ きた」「ママ いる」 エ・オ・チ・ト・ワの音,カ・ガ・ヤ行が加わる。	ものには 9.名前 があることを理解するようになる。
3歳	約900語 3語文	「ぼく ごはん たべた」 シャ・チャ・ヒャの音,ハ行が加わる。	簡単な話がわかるようになる。自分の 10.意志 が伝えられるようになる。
4歳	約1600語 3語以上	「ぼく ママと こうえん いった」 ツ・ズの音,サ・ラ行が加わる。	身近なものの特徴や使い方が言えるようになる。身振りを交えずに言葉だけで伝えられるようになる。
5歳	約2000語 3語以上	「きょう ママとかいものに いった」	自分の伝えようとする 11.目的 にあった会話ができるようになる。

➕ プラスチェック！

□ 幼児の言葉の発達は個人差が大きく，表現のしかたも自分本位なところがみられる。
□ 教師は，正しくわかりやすく美しい言葉遣いで，言葉を交わす喜びや豊かな表現などを伝えるモデルとしての役割を果たしていくことが大切である。

＊このページで覚えた知識を教師になってどう活かしたい？

＊あ！あれ何だっけ？ 確認メモ！

様々な伝達手段

近年ICT（情報や技術に関連する科学技術の総称）教育といわれて久しい。学校では，コンピュータのみならずデジタル教科書の普及，スマートフォンやタブレット端末を活用した授業が行われている。

項目	内容
1. 紙芝居	物語の内容をいくつかの場面に区切り，せりふやナレーションを交え，順に絵を見せていく。読み手が視聴者の反応をみて，それに合わせて絵を見せていくので，人間的なふれあいが生まれる。
2. ペープサート	紙人形劇ともいう。2枚の厚手の画用紙に登場人物などの絵を描いて（前向きと後ろ向き，右向きと左向きなど）切り取り，竹串や割り箸などを2枚の絵ではさんだもの。それをせりふや場面に合わせ，前後左右に動かす。背景などもつける。
3. 人形劇	人形を使い演じる劇。子供向けとしては，大正時代に始まり人気を得た。人形が変身したり，空を飛んだりして心を捉える。指使い，手使い，棒使い，糸あやつりなどがある。
4. 影絵	人形の切り抜きや手指の影を利用して紙や布のスクリーンに映し出して楽しむ。
5. 童謡	わらべうた。1918年鈴木三重吉主催による『赤い鳥』から新しい感覚で子供の心情を歌おうという運動が生まれた。リズムと歌詞で楽しむことができる。
6. 絵本	話の内容を，絵と文章で表した本。ページをめくっていくことによって話が展開していく。伝承物語絵本，創作絵本など広範な分野にわたっている。字が読めない子供でも絵を見て直感的に話を理解できたり，字を読み始めるきっかけにもなる。
7. 童話	子供のためにつくった物語。お伽噺（おとぎばなし）のほか伝説や寓話なども含む。鈴木三重吉が編集した雑誌『赤い鳥』によって文芸的に高められた。
8. お伽噺	子供に聞かせる昔話や童話。『桃太郎』『かちかち山』など古くから伝わる話が多い。
9. マンガ	1コマ，4コマなどのコママンガと，数ページから数百ページにわたる物語性をもつストーリーマンガに分けられる。雑誌，新聞，単行本やテレビ・ビデオのアニメなど，さまざまなメディアに登場している。歴史や科学など学習漫画としても活用されている。
10. アニメーション	通称アニメともいう。1937年W.ディズニー（米）による『白雪姫』が映画館で上映された。日本では1960年代に手塚治虫の『鉄腕アトム』が初の本格的テレビアニメとして人気を得た。内容も怪獣，スポーツ，ギャグ，名作童話などさまざまである。
11. テレビ	日本のテレビの放送は，1953年NHKが（モノクロ放送），その後民間放送が開始された。1960年にカラー放送となり家庭へも普及した。動く影像と音が一体化した視聴覚メディア。2003年地上デジタル放送がスタートし，2011年アナログテレビ放送が終了。
12. ラジオ	大正時代から放送が行われ，テレビが一般に普及するまでは，もっとも一般的で速報性の高い聴覚メディアであった。番組はニュース，教養，スポーツ，音楽など多岐にわたる。

13. OHP	オーバー・ヘッド・プロジェクターの略。近距離から大きな画像を見ることができる。複数の透明なセルシートを重ねたり，カラーで表現できる視覚効果が大きい。動画を映すビデオ・プロジェクターも。
14. ビデオ	ビデオデッキ，ビデオカメラ，ビデオテープ，ビデオディスクなど，ビデオ関連の機器・媒体はいろいろな種類がある。ビデオはテレビやビデオカメラで撮った映像を録画したり，編集，再生することができる。
15. コンピュータゲーム	＊コンピュータを利用したゲームとそのプログラムを指す。パソコンゲーム，テレビゲーム，オンラインゲームなどに分類される。これらは，使用する機器とディスプレイ装置，ソフトの供給媒体から分けられる。 ＊コンピュータゲームを使った対戦をスポーツ競技として捉える名称をeスポーツという。 ＊教育分野や社会における課題解決を目的として開発・利用されるゲームをシリアスゲームという。 ＊ゲームが進化する一方，内容によってはその悪影響や，ゲームへの依存が問題視されている。2019年WHOは依存症として「ゲーム障害」を認定。
16. SNS（ソーシャル・ネットワーキング・サービス）	ネット上での社会的な繋がりを提供するサービスを指す。写真や動画，日記代りのコメントを公開するものなどがある。SNSは情報の拡散力が高いといわれる。児童生徒のネット依存や，SNSの利用によるコミュニケーショントラブルなどが問題となっており，情報モラルに関する教育が求められている。
17. VR	コンピュータで仮想的な空間をつくり現実かのように疑似体験できるしくみ（仮想現実）。エンターテインメントのほかビジネス領域でも活用されている。他方，仮想空間のコンテンツと現実世界を重ねて表示し，現実を拡張する技術・しくみのことをAR（拡張現実）という。

• second try •

年 月 日（ ）
🕐 ： ～ ：
☀ ☁ ☂ （ ）
🌡 am・pm ℃
😊 😐 😟 😣 😫

• first try •

年 月 日（ ）
🕐 ： ～ ：
☀ ☁ ☂ （ ）
🌡 am・pm ℃
😊 😐 😟 😣 😫

second try	first try
1.	1.
2.	2.
3.	3.
4.	4.
5.	5.
6.	6.
7.	7.
8.	8.
9.	9.
10.	10.
11.	11.
12.	12.
13.	13.
14.	14.
15.	15.
16.	16.
17.	17.
18.	18.
19.	19.
20.	20.
21.	21.
22.	22.
23.	23.
24.	24.
25.	25.

➕ プラスチェック！

□オンラインでは，同時双方向のコミュニケーションも可能なため，授業（ハイブリッド型もあり）や共同遊戯などにも活用される。

＊このページで覚えた知識を教師になってどう活かしたい？

＊あ！あれ何だっけ？　確認メモ！

絵本や物語の世界に浸る体験ができる大切な幼児期

おもな作品名と作者について把握しておこう。教師になって幼児に物語を読み聞かせるとき
には，話す速度や場所の設定などにも配慮したい。魅力的な読み方についても考えてみよう。

名作童話

【世界の名作童話】

作者	おもな作品名
1. アンデルセン	マッチ売りの少女，親指姫，人魚姫，みにくいアヒルの子，こうのとり
2. グリム兄弟	白雪姫，おおかみと七匹の子やぎ，ヘンゼルとグレーテル，ブレーメンの音楽隊，赤ずきん，金のがちょう
3. イソップ	ウサギとカメ，キツネとぶどう，北風と太陽，アリとキリギリス
ビアトリクス・ポター	ピーターラビットのおはなし，ベンジャミンバニーのおはなし，フロプシーのこどもたち，こねこのトムのおはなし
4. トーベ=ヤンソン	たのしいムーミン一家
5. シャルル=ペロー	シンデレラ（サンドリヨン），長ぐつをはいた猫，眠れる森の美女，赤ずきん
マイケル=ボンド	くまのパディントン，パディントン妙技公開，パディントンとテレビ
ワイルダー	大草原の小さな家，大きな森の小さな家，プラム・クリークの土手で，農場の少年，シルバー・レイクの岸辺で
イギリス民話	ジャックと豆の木，三匹のこぶた
フランス民話（ボーモン婦人の作が有名）	美女と野獣

作者	おもな作品名
6. デュマ	三銃士
7. ウィーダ	フランダースの犬
8. ウェブスター	あしながおじさん
9. エリック=ナイト	名犬ラッシー
10. オルコット	若草物語
ケストナー	ふたりのロッテ
11. コッローディ	ピノッキオの冒険
作者不詳	千夜一夜物語（アラビアンナイト）
12. ザルテン	バンビ
13. サン=テグジュペリ	星の王子さま
14. スウィフト	ガリバー旅行記
15. スティーブンソン	宝島
16. ドディ=スミス	ダルメシアン（101匹）
バーネット	小公女，小公子
17. バウム	オズの魔法使い
18. バリ	ピーターパン
19. プロコフィエフ	ピーターと狼
20. ホフマン	くるみ割り人形
21. マーク=トウェイン	トム=ソーヤの冒険，王子と乞食
マージェリー=シャープ	ビアンカの冒険
ミルン	くまのプーさん，イーヨーのあたらしいうち
22. メーテルリンク	青い鳥
23. ヨハンナ=スピリ	アルプスの少女ハイジ
24. ルイス=キャロル	ふしぎの国のアリス
25. ローリングス	子鹿物語

【日本の昔話】

一休さん

いなばの白うさぎ

一寸法師

海幸山幸

浦島太郎

うりこひめとあまのじゃく

おいてけ堀

おむすびころりん

かさじぞう

かちかち山

かもとりごんべえ

ききみみずきん

吉四六さん

金色のきつね

金太郎

こぶとりじいさん

さるかに合戦

三年寝太郎

三まいのおふだ

舌きりすずめ

竹取物語（かぐや姫）

つるのおんがえし

てんぐのかくれみの

ねずみの嫁入り

鉢かづき

花咲かじいさん

彦一どん

文福茶釜

ものぐさ太郎

桃太郎

ゆきおんな

わらしべ長者

• second try •					• first try •				
年 月 日（ ）					年 月 日（ ）				
： ～ ：					： ～ ：				
☀ ☁ ☂ （ ）					☀ ☁ ☂ （ ）				
am・pm ℃					am・pm ℃				
😀 😐 😣 😖 😫					😀 😐 😣 😖 😫				

1.	1.
2.	2.
3.	3.
4.	4.
5.	5.
6.	6.
7.	7.
8.	8.
9.	9.
10.	10.
11.	11.
12.	12.
13.	13.
14.	14.
15.	15.
16.	16.
17.	17.
18.	18.
19.	19.
20.	20.
21.	21.
22.	22.
23.	23.
24.	24.
25.	25.

➕ プラスチェック！

□ 『千夜一夜物語（アラビアンナイト）』に含まれる
物語として、アラジンと魔法のランプ、シンドバッ
ドの冒険、アリババと40人のとうぞく、などがある。

＊このページで覚えた知識を教師になってどう活かしたい？

＊あ！あれ何だっけ？　確認メモ！

音楽—①（譜表, 音名, 小節, 拍子, 強弱記号）

【譜表】

▶ 1. 譜表 ……五線にト音記号などの音部記号をつけたもの。

▶ 2. 大譜表 ……ト音譜表とヘ音譜表を合わせたもの。ピアノやオルガン，混声合唱などに使う。

▶ 3. 総譜 （スコア）……合奏曲などの多くの楽器を使う曲に，各楽器のパート譜を合わせた譜表。

{ ト音譜表……ト音記号のついた譜表。第2線がト音。
ヘ音譜表……ヘ音記号のついた譜表。第4線がヘ音。

【音名と音の変化】

▶ 4. 音名 ……各音の高さにつけられた固有の名前

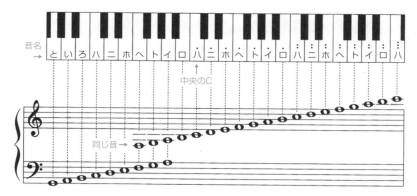

▶ 5. 階名 ……音階の各度の呼び名，長音階を主音から順にドレミファソラシドという。

【縦線と小節】

▶ 6. 縦線 ……何拍子の曲であるかを明確にするため五線譜を区切った線。

▶ 7. 小節 ……縦線によって区切られた区間。

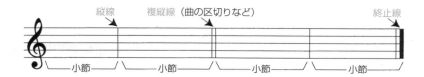

【拍子の種類】

- 8. 単純拍子 ……2拍子，3拍子，4拍子，6拍子。
- 9. 混合拍子 ……2拍子と3拍子が混合された5拍子，3拍子と4拍子が混合された7拍子など。
- 10. 複合拍子 ……付点音符が3つ合わされた9拍子，4つ合わされた12拍子など。

【強起と弱起】

- 強起……1拍目から強起が始まる。
- 弱起……1拍目から弱起が始まる。

【強弱記号】

記 号	読み方	意味
pp	11. ピアニッシモ	ごく弱く
p	12. ピアノ	弱く
mp	13. メゾピアノ	やや弱く
mf	14. メゾフォルテ	やや強く
f	15. フォルテ	強く
ff	16. フォルテッシモ	ごく強く
<, *cresc.*	17. クレシェンド	だんだん強く
>, *decresc.*	18. デクレシェンド	だんだん弱く
dim.	19. ディミヌエンド	

• second try •

年 月 日( )
🕐 ： ～ ：
☀ ☁ ☂ ( )
✏ am・pm ℃
😀 😐 😟 😣 😫

1.
2.
3.
4.
5.
6.
7.
8.
9.
10.
11.
12.
13.
14.
15.
16.
17.
18.
19.
20.
21.
22.
23.
24.
25.

• first try •

年 月 日( )
🕐 ： ～ ：
☀ ☁ ☂ ( )
✏ am・pm ℃
😀 😐 😟 😣 😫

1.
2.
3.
4.
5.
6.
7.
8.
9.
10.
11.
12.
13.
14.
15.
16.
17.
18.
19.
20.
21.
22.
23.
24.
25.

➕ プラスチェック！

□ 転調…曲の途中で，曲に変化や深みをつけるため異なる調に変わること。

□ ♪（アクセント）は，その音だけを強くする，という意味。

*このページで覚えた知識を教師になってどう活かしたい？

*あ！あれ何だっけ？ 確認メモ！

思いのままに歌って踊って遊ぶ幼児の音楽活動

楽譜の速度記号の読み方と意味や，調の種類について把握しておこう。幼稚園での歌唱教材は，環境や時節との関係や，幼児の言葉の習得段階・音域に留意して曲を選ぶ必要がある。

音楽──②（音階，音符，速度記号）

【音階の種類】

> ハ長調
ド
（ハ音がド）

> 1. ト長調
ド
（ト音がド）

> 2. ニ長調
ド
（ニ音がド）

> 3. イ長調
ド
（イ音がド）

> 4. ヘ長調
ド
（ヘ音がド）

> 5. 変ロ長調
ド
（変ロ音がド）

> 6. 変ホ長調
ド
（イ音がド）

> 7. イ短調
ラ
（イ音がラ）

> ホ短調
ラ
（ホ音がラ）

> ロ短調
ラ
（ロ音がラ）

> 嬰ヘ短調
ラ
（嬰ヘ音がラ）

> 8. ニ短調
ラ
（ニ音がラ）

> ト短調
ラ
（ト音がラ）

> ハ短調
ラ
（ハ音がラ）

【音符の演奏法】

記号	読み方	意味
♩	9. スタッカート	その音を短く切って
♩	10. テヌート	その音の長さを十分に保って
♩	11. フェルマータ	その音符や休符をほどよくのばす
	12. タイ	同じ高さの2つの音符をつなぎ，1音のようにする
	13. スラー	ちがう高さの2つ以上の音符をなめらかに
V	14. ブレス	息つぎをする

【速度標語（曲全体）】

標語	読み方	メトロノーム	意味
Grave	グラーベ	40～42	重々しく
Largo	15. ラルゴ	44～46	非常におそく
Lento	レント	52～54	おそく
Adagio	アダージョ	56～58	ゆるやかに
Andante	16. アンダンテ	66～70	歩く速さで
Andantino	アンダンティノ	72～82	やや速く
Moderato	17. モデラート	88～96	中庸の速さで
Allegretto	アレグレット	104～112	やや快速に
Allegro	18. アレグロ	120～132	快速に
Vivace	ヴィヴァーチェ	144～152	速く活発に
Presto	プレスト	176～184	非常に速く

【速度記号（曲の途中）】

標語	読み方	意味
piu mosso	ピウ・モッソ	より速く
accelerand＝accel.	アッチェレランド	次第に速く
meno mosso	メノ・モッソ	よりおそく
ritardando＝rit.	19. リタルダンド	次第におそく
rallentando＝rall.	ラレンタンド	次第におそく
a tempo	20. ア・テンポ	もとの速さで
Tempo I	21. テンポ・プリモ	最初の速さで
Rubato	ルバート	自由なテンポで

➕ プラスチェック！

[関係調]

□属調・下属調…ある調より５度高い調を属（音）調，
　ある調より５度低い調を下属（音）調という。
　（ハ長調の場合，属調はト長調，下属調はヘ長調）

□平行調…同じ調の長調と短調。

□同主調…同じ音を主音とする調。

＊このページで覚えた知識を教師になってどう活かしたい？

＊あ！あれ何だっけ？　確認メモ！

感染源を絶つ・感染経路を絶つ・抵抗力を高める

幼児期に多くみられる感染症のおもな症状などについて確認しておこう。幼児の予防接種に関しては最新の情報を確認するようにしよう。

感染症

【幼児に注意したい感染症】

病名	多発年齢	症状	予防
1. 細菌性赤痢 (疫痢)	3〜5歳	経口（糞口）感染。突然高熱が出て，全身がだるくなり，脈拍がはやくなり，けいれんが起こる。チアノーゼになり，下痢が1日数回から数十回続く。腹痛を伴うことが多く，嘔吐する。	生水，氷，生の食べ物を避け，食事前に手を洗う。
2. A群溶血性レンサ球菌感染症	6〜7歳	飛沫感染，接触感染。上気道感染では，高熱が出て，のどがはれ，舌や全身が赤くなる。病後は表皮がはく離する。腎炎を併発することがある。	流行時の外出はマスクやうがいに留意。
3. ジフテリア	2〜4歳	飛沫感染。発熱，のみくだし困難などで発病し，扁桃が腫脹し，咽頭・喉頭の粘膜に白色の偽膜を生じて呼吸困難をきたす。また，呼吸筋まひ，心筋の障害などを生ずる。	乳幼児期・学童期に定期予防接種。
4. インフルエンザ	ウイルスの型により異なる場合あり	飛沫感染，接触感染など。インフルエンザ・ウイルスによって起こる急性感染症。多くは高熱を発し，四肢疼痛・頭痛・全身倦怠・食欲不振などを生ずる。脳症併発で生命の危険や後遺症の可能性。	予防ワクチンが有効。その時々により流行するインフルエンザの種類は異なる。
5. 百日咳	10歳未満	飛沫感染，接触感染。百日咳菌により起こる感染症。咳の最後に笛のような声を発して深く息を吸い込むような発作が特徴的。夜間に多い。発熱は少ない。症状は長期にわたる。	乳幼児期に定期予防接種。
6. 麻しん	1〜6歳	空気感染，飛沫感染，接触感染。麻しんウイルスによる感染症。過程により発熱，斑点様紅色の発しん，鼻・咽喉のカタル，結膜炎を伴う。感染力が強く，脳炎や肺炎の併発で生命の危険や後遺症の可能性。	学校での発生は集団感染への危険性が高いため，保健所と連携し，調査・まん延防止対策の推進に協力。
7. 急性灰白髄炎 (ポリオ)	5歳以下	接触感染，経口（糞口）感染。ポリオ・ウイルス。軽症の場合，かぜや胃腸の症状。急性の弛緩性まひが生じた場合，生命の危険や後遺症で四肢まひとなる可能性。	乳幼児期に定期予防接種（不活化ワクチン）。

【学校保健安全法による感染症】……学校保健安全法施行規則第18条

種別	病名
第一種	エボラ出血熱，クリミア・コンゴ出血熱，痘そう，南米出血熱，ペスト，マールブルグ病，ラッサ熱，急性灰白髄炎，ジフテリア，重症急性呼吸器症候群（病原体がベータコロナウイルス属SARSコロナウイルスであるものに限る），中東呼吸器症候群（病原体がベータコロナウイルス属MERSコロナウイルスであるものに限る）及び特定鳥インフルエンザ（感染症予防法第6条第3項第六号に規定する特定鳥インフルエンザをいう。）
第二種	インフルエンザ（特定鳥インフルエンザを除く），百日咳，8.麻しん，流行性耳下腺炎，9.風しん，10.水痘，咽頭結膜熱，11.新型コロナウイルス感染症（病原体がベータコロナウイルス属のコロナウイルス（令和2年1月に，中華人民共和国から世界保健機関に対して人に伝染する能力を有することが新たに報告されたものに限る）であるものに限る），結核及び髄膜炎菌性髄膜炎
第三種	コレラ，細菌性赤痢，腸管出血性大腸菌感染症，腸チフス，パラチフス，流行性角結膜炎，急性出血性結膜炎その他の感染症

【感染症予防法による感染症】……感染症予防法第6条（抜粋）

▶一類感染症……エボラ出血熱，クリミア・コンゴ出血熱，痘そう，南米出血熱，ペスト，マールブルグ病，ラッサ熱

▶二類感染症……急性灰白髄炎，結核，ジフテリア，重症急性呼吸器症候群，中東呼吸器症候群，鳥インフルエンザ

▶三類感染症……コレラ，細菌性赤痢，腸管出血性大腸菌感染症，腸チフス，パラチフス

▶四類感染症……E型肝炎，A型肝炎，黄熱，Q熱，狂犬病，炭疽，鳥インフルエンザ（特定鳥インフルエンザを除く），ボツリヌス症，マラリア，野兎病

▶五類感染症……インフルエンザ（略），ウイルス性肝炎（E型肝炎・A型肝炎を除く），後天性免疫不全症候群，性器クラミジア感染症，梅毒，麻しん，など　*新型コロナウイルス感染症の位置づけは五類。

▶12.新型インフルエンザ等感染症

▶指定感染症

▶新感染症

➕ プラスチェック！

□飛沫感染…感染者の咳やくしゃみで放出された飛沫を吸い込むことで感染。

□接触感染…感染者や汚染物に触れることで感染。

□経口感染…汚染された食物や手を介して口に入れた物などからの感染。

□ほか，空気感染，節足動物（蚊やダニ等）媒介感染。

＊このページで覚えた知識を教師になってどう活かしたい？

＊あ！あれ何だっけ？　確認メモ！

日本保育史年表—①

(年)	
1872	福沢諭吉『学問ノスゝメ』
	「 1. 学制 」発布　※「幼稚小学」の規定あり
1875	田中不二磨，幼稚園開設に関する伺書を太政大臣に提出
1876	2. 東京女子師範学校附属幼稚園 開設　※わが国最初の幼稚園
1879	「 3. 教育令 」制定　※学制の廃止，幼稚園はすべて文部卿の監督下におかれる
1880	東京，私立桜井女学校付属幼稚園開設　※最初の私立幼稚園
	「教育令」改正　※各県に師範学校設置
1881	文部省「府県立学校幼稚園書籍館等設置廃止規則」
1882	文部卿簡易幼稚園の奨励
1883	渡辺嘉重，茨城県小山村に子守学校を開設　※最初の乳幼児保育
1886	「 4. 小学校令 」公布　※尋常科4年を義務教育とした
1887	石井十次が岡山孤児院を設立
1889	「大日本帝国憲法」発布
1890	5. 赤沢鐘美(あつとみ) ・仲子夫妻，新潟静修学校開設　※最初の託児所
	「 6. 教育ニ関スル勅語 」（教育勅語）」発布　※戦前の教育の基本となる
	「小学校令」改正　※幼稚園にも適用
1891	文部省「幼稚園図書館盲唖学校其他小学校ニ類スル各種学校及私立小学校等ニ関スル規則」制定
1892	女子高等師範学校附属幼稚園に分室設置　※簡易幼稚園のモデルになる
1896	フレーベル会発足
1897	東京神田三崎町にキングスレー館設立　※最初のセツルメント幼稚園開設
	「 7. 師範教育令 」公布
1898	「学校幼稚園伝染病予防及消毒方法」制定
1899	文部省「幼稚園保育及設備規程」制定　※幼稚園に関する最初の単行法令
1900	森島峰（美根），8. 野口幽香(ゆか) が東京麹町に二葉幼稚園を開設　→のちの二葉保育園へ
	田村虎蔵，納所弁次郎『教科適用幼年唱歌』刊行　※言文一致唱歌
	文部省「小学校令施行規則」公布　※「幼稚園及小学校ニ類スル各種学校」の章を設ける
1901	フレーベル会，月刊『婦人と子ども』創刊
	『幼稚園唱歌』刊行
1908	女子高等師範学校を東京女子高等師範学校に改称
1910	9. 倉橋惣三 ，東京女子高等師範学校講師になる

1912	倉橋惣三『婦人と子ども』の編集兼発行者となる
	→のちの『幼児の教育』へ
1915	河野清丸が自動教育論を主唱
	※モンテッソーリ教育法を実施
1918	フレーベル会が日本幼稚園協会に改称
	鈴木三重吉主宰『 10. 赤い鳥 』創刊
1919	自由画教育運動が起こる
	「学校伝染病予防規程」公布
1926	「 11. 幼稚園令 」公布，「小学校令」改正
	「幼稚園令施行規則」制定

1927	土川五郎，昭和保母養成所設立
	観察絵本『 12. キンダーブック 』創刊
1930	13. 和田實 ，目白幼稚園保姆養成所設立
	※現在の東京教育専門学校
1938	教育審議会「国民学校，師範学校及幼稚園ニ関スル件」答申
1941	文部省「 14. 国民学校令 」公布
	※小学校を国民学校と改称
1942	文部省『幼児保育に関する諸問題』（調査資料）
1944	学童疎開始まる
1945	GHQ「日本教育制度ニ対スル管理政策」を指令
1946	「日本国憲法」公布
1947	「 15. 教育基本法 」「 16. 学校教育法 」公布
	※「幼稚園令」等を廃止し，現行の６・３・３・４制になる
	「日本国憲法」施行
	「児童福祉法」公布
1948	文部省『保育要領 ―幼児保育の手びき―』発行
1949	「教育職員免許法」等関係法令を公布
1950	厚生省「保育所運営要領」発行，学校教育法施行規則改正
	※幼稚園の教育課程は保育要領の基準になる
1951	「 17. 児童憲章 」制定
1952	厚生省「保育指針」刊行
	文部省「幼稚園基準」通達
1953	「学校教育法施行規則」改正
	※保育要領を幼稚園教育要領に改める

✚ プラスチェック！

□1926年，わが国ではじめて幼稚園に関して独立した勅令「幼稚園令」が制定，公布された。

□保育項目は，同日規定された「幼稚園令施行規則」により，遊戯，唱歌，観察，談話，手技等とした。

□幼稚園令の制定で幼稚園保育はますます盛んになり，特に1931年まで幼稚園数が著しく増加した。

＊このページで覚えた知識を教師になってどう活かしたい？

＊あ！あれ何だっけ？　確認メモ！

日本保育史年表─②

1956	「1. 幼稚園教育要領」刊行
	「2. 幼稚園設置基準」公布
1958	「学校保健法」公布
1959	国連総会「3. 児童権利宣言」採択
1961	「幼稚園における給食の実施について」通達
	厚生省「児童福祉法による保育所への入所の措置基準について」通達
1964	文部省「幼稚園教育振興計画」（第1次）発表
1964	「幼稚園教育要領」改訂告示
1965	「4. 保育所保育指針」刊行
1984	5. 臨時教育審議会 発足
1987	臨時教育審議会「教育改革に関する第4次答申」（最終答申）

1989	「幼稚園教育要領」改訂
1992	「学校教育法施行規則」改正　※学校週5日制始まる
1993	文部省「幼稚園施設整備指針」作成
1994	「6. 児童の権利に関する条約」批准
1995	「幼稚園設置基準」改正　※30人学級
1998	「幼稚園教育要領」改訂
2000	文部省「幼児・児童・生徒の安全確保及び学校の安全管理についての点検項目」（通知）
2001	文部科学省発足
2005	中央教育審議会「子どもを取り巻く環境の変化を踏まえた今後の 7. 幼児教育 の在り方について」（答申）
2006	「就学前の子どもに関する教育，保育等の総合的な提供の推進に関する法律」公布　※認定こども園
	「8. 教育基本法」改正
2008	「9. 幼稚園教育要領」改訂
	「10. 保育所保育指針」改定告示　※厚生労働大臣による告示となり遵守すべき法令となった。
2014	「11. 幼保連携型認定こども園教育・保育要領」告示
2015	子ども・子育て支援新制度
	道徳が「12. 特別の教科 である道徳」に改正
2017	「幼稚園教育要領」改訂
	「保育所保育指針」改定
	「幼保連携型認定こども園教育・保育要領」改訂

令和

2019　幼児教育無償化制度の開始（3〜5歳）

2020　児童福祉法等改正で親権者等の児童のしつけに際する 13.体罰 禁止が施行。

2021　小学校（義務教育学校の前期課程を含む）の学級編制の標準を 14.35 人に引き下げ。「教育職員等による児童生徒性暴力等の防止に関する法律」が公布される。

2022　「生徒指導提要」（文部科学省）全面改訂。小学校高学年への教科担任制の導入が開始。

2023　15.こども家庭庁 創設。16.こども基本法 施行
　　　新型コロナウイルスが学校において予防すべき感染症の 17.第二種 に（学校保健安全法施行規則第18条）。

2024　本年度から小・中学校等を対象に 18.デジタル教科書 の本格的導入開始（小学校5年生〜中学校3年生，英語から）。

【文部科学省発出指導資料等】

2020　＊外国人幼児等の受入れにおける配慮について

2023　＊障害のある幼児と共に育つ生活の理解と指導
　　　＊学びや生活の基盤をつくる幼児教育と小学校教育の接続について 〜幼保小の協働による架け橋期の教育の充実〜

・second try・

年 月 日（ ）
：　〜　：
☀ ☁ ☔（　）
am・pm　℃
😀 😊 ☹ 😣 😫

1.
2.
3.
4.
5.
6.
7.
8.
9.
10.
11.
12.
13.
14.
15.
16.
17.
18.
19.
20.
21.
22.
23.
24.
25.

・first try・

年 月 日（ ）
：　〜　：
☀ ☁ ☔（　）
am・pm　℃
😀 😊 ☹ 😣 😫

1.
2.
3.
4.
5.
6.
7.
8.
9.
10.
11.
12.
13.
14.
15.
16.
17.
18.
19.
20.
21.
22.
23.
24.
25.

➕ プラスチェック！

☐新型コロナウイルス感染症への感染が確認された児童生徒等に対する出席停止期間の基準は，「発症した後5日を経過し，かつ，症状が軽快した後1日を経過するまで」（学校保健安全法施規第19条）。

＊このページで覚えた知識を教師になってどう活かしたい？

＊あ！あれ何だっけ？　確認メモ！

主要人物

▶ 1. **イタール** ……著書『アヴェロンの野生児』。野生児の研究は，発達研究における外的環境条件の重要性を示した。精神医学者セガンとともに障害児研究をした。

▶ 2. **エリクソン** ……**アイデンティティ（自我同一性）**の確立と拡散の理論を提唱。

▶ 3. **エレン＝ケイ** ……著書『児童の世紀』。児童中心主義にもとづき児童教育と婦人の母性的使命を唱え，子供と婦人の解放を主張した。

▶ 4. **コメニウス** ……近代教育学の父ともいわれる教育学者。著書に『**大教授学**』，子供の直感に訴える世界最初の絵入り教科書『**世界図絵**』。

▶ 5. **スキナー** ……学習実験装置スキナー箱を発明。行動を，オペラント行動〔自発的能動的行動〕とレスポンデント行動〔反射的受動的行動　例：パブロフの条件反射〕の2つに分類。**プログラム学習**はこれを学習に応用したもの。

▶ 6. **ソーンダイク** ……教育心理学の父。問題箱の研究。行動は報酬によって強められ，罰によって弱められる「効果の法則」を提唱。

▶ 7. **デューイ** ……経験を重視し，「為すことによって学ぶ」の理論は日本の教育界に大きく影響を与えた。著書『民主主義と学校』『学校と社会』。

▶ 8. **パブロフ** ……犬を用いた唾液の条件反射の研究を行い，古典的条件反射説の成立に貢献した。

▶ 9. **ピアジェ** ……発達段階を，Ⅰ.**感覚運動的知能の時期**（0〜2歳），Ⅱ.**前操作的思考の時期**（2〜7歳），Ⅲ.**具体的操作の時期**（7〜11歳），Ⅳ.**形式的操作の時期**（11歳〜）の4段階に分け，低次の認識から高次の認識へと移行するとした。

▶ 10. **フレーベル** ……世界最初の**幼稚園**の創設者。全人間的教育をもとにした幼稚園教育は世界に影響を与えた。教育遊具「**恩物**」を考案。著書『人間の教育』。

▶ 11. **S.フロイト** ……精神分析学の創始者。精神構造についても研究し，エロス（快楽を求める無意識の世界），自我（意識的過程），超自我（衝動欲求を抑制する）の3つに分けた。

▶ 12. **ブルーナー** ……著書『教育の過程』。どのような教科でも，どの年齢の子供に対しても，知的性格を保ち効果的に教えることができると主張。

▶ 13. **ペスタロッチ** ……民衆教育の確立と実践につとめた教育者。ノイホーフで貧民学校を開く。著書『**隠者の夕暮**』『**リーンハルトとゲルトルート**』。

▶ 14. **ルソー** ……政治的には『**社会契約論**』を著し，啓蒙思想家として知られる。教育面では，私教育論『**エミール**』を著した。自然主義の消極教育論を唱えた。

▶ 15. ロジャーズ ……カウンセリングの際，クライエントの話を聴き，クライエントの心理的状態を把握し，信頼関係を築くことが必要であるとした。来談者中心療法，非指示的カウンセリングを提唱。

▶ 16. ローレンツ ……人工孵化したガチョウの雛が，孵化後短期間に知覚した対象に追従反応を示すことを発表。「刻印づけ(Imprinting)」と呼んだ。

▶ 17. 赤沢鐘美 ……日本で最初に**託児所**を創始し，幼児教育を行った教育者。無料の託児所で，今日の児童福祉事業へと発展するきっかけとなる。

▶ 18. 伊沢修二 ……音楽教育・教員養成・教科書編修・体操教育など多方面に活躍。文部省の音楽取調掛長として，日本最初の**唱歌集**『小学唱歌集』『幼稚園唱歌集』を編纂した。

▶ 19. 北原白秋 ……1918年『赤い鳥』で鈴木三重吉の呼びかけに協力して童謡運動をすすめ，『からたちの花』『赤い鳥小鳥』などを自ら発表したり，新人の育成に取り組む。

▶ 20. 倉橋惣三 ……大正から昭和にかけて日本の幼児教育の指導者として，児童中心の**進歩主義教育**を推進した。1910年東京女子高等師範学校に着任。1912年保育雑誌『婦人と子ども』の編集主任，のち付属幼稚園の主事に。著書『幼稚園雑草』『育ての心』。

▶ 21. 鈴木三重吉 ……『世界童話全集』を刊行するなど童話界に貢献。1918年雑誌『赤い鳥』を創刊。編集者としてその手腕を発揮した。

▶ 22. 野口幽香 ……二葉幼稚園の創設者。幼児教育・女子教育に多大に貢献。通勤途中貧しい子供をみかけ，教育の必要性を感じ，華族女子学校付属幼稚園に勤務しながら二葉幼稚園を開園した。

• second try •

年 月 日（ ）
🕐 ： 〜 ：
☀ ☁ ☂（ ）
🖊 am・pm ℃
😊 😐 😟 😣 😫

• first try •

年 月 日（ ）
🕐 ： 〜 ：
☀ ☁ ☂（ ）
🖊 am・pm ℃
😊 😐 😟 😣 😫

second try	first try
1.	1.
2.	2.
3.	3.
4.	4.
5.	5.
6.	6.
7.	7.
8.	8.
9.	9.
10.	10.
11.	11.
12.	12.
13.	13.
14.	14.
15.	15.
16.	16.
17.	17.
18.	18.
19.	19.
20.	20.
21.	21.
22.	22.
23.	23.
24.	24.
25.	25.

✚ プラスチェック！

[さらに主要人物！]
□ヘルバルト…教授方法論
□ビネー…知能検査の創案者
□アドラー…心理学者。児童相談所の設立
□サイモンズ…養育態度と子の性格の関係
□マズロー…5段階欲求階層説

＊このページで覚えた知識を教師になってどう活かしたい？

＊あ！あれ何だっけ？　確認メモ！

代表的なピアジェとエリクソンの発達段階について比較しながら把握しておこう。ハヴィガーストは幸福な発達のための各発達段階において達成すべき課題の設定を提唱した。

発達段階の学説, 発達課題

【ピアジェの発達段階】

時期	区分	内容
0〜2歳	1. 感覚運動期	○ 運動や感覚を通し, 外界への働きかけをする ○ 手足を使い, 目標物を得る ○ 事物や人物の弁別ができる ○ 言葉の使用により, 象徴的思考ができる
2〜7歳	2. 前操作期	○ 言語活動が活発になる ○ 自己を中心とした思考 ○ ごっこ遊びをする ○ 思考の保存概念は薄い
7〜11歳	3. 具体的操作期	○ 論理的思考の発達 ○ 思考の保存概念の取得 ○ やや複雑な考えを理解できる ○ 自己中心的な行動から社会的な行動へ
11歳〜	4. 形式的操作期	○ 抽象的な思考ができる ○ 抽象的な概念の分析ができる

【エリクソンの発達段階】

段階	年齢	影響する人	（ピアジェの段階）
① 5. 信頼 感——不信感	0〜1歳	母	感覚運動期
② 6. 自律 性——疑惑, 恥	1〜2歳	両親	感覚運動期
③ 7. 自発 性——罪悪感	2〜6歳	家族	前操作期
④ 勤勉性——劣等感	6〜12歳	家族・近隣・学校	具体的操作期
⑤ 8. 同一 性——9. 同一性拡散	思春期	家族・学校・仲間	形式的操作期
⑥ 10. 親密 性——孤独感	初期成人期	友人と知人	形式的操作期
⑦ 11. 生殖 性——停滞感	成人期	家族・友人・職場	形式的操作期
⑧ 12. 統合 性——落胆, 絶望	後期成人期	家族・友人・人類	形式的操作期

【ハヴィガーストの発達課題】 ＊下表は0〜18歳頃までの3段階。

時期（抜粋）	発達課題
乳・幼児期	13. 歩行 の学習　　食べることの学習 14. 話す ことの学習　　排泄の学習 性差と性的慎みの学習　　生理的な安定の達成 社会的・物理的現実の単純な概念の学習 両親・きょうだいとの 15. 人間関係 の学習 16. 善悪 の区別，良心の学習
児童期	日常の 17. 遊び を通じて必要な身体的技能の学習 生活体としての自己に対する 18. 健康 な態度の形成 遊び仲間とうまくつき合うことの学習 男女の適切な社会的役割の学習 基礎能力（読み・書き・計算）の発達 日常生活に必要な概念の発達 良心・ 19. 道徳 ・価値感の発達 個人的独立の達成 社会集団や制度に対する態度の発達
青年期	両性の友人との成熟した人間関係 男女の社会的役割の達成 自分の身体的変化を受け入れ身体を有効に使うこと 両親や他のおとなからの情緒的独立の達成 経済的独立の目安を立てる 職業の選択・準備 結婚・家庭生活への準備 市民として必要な知的技能と概念を発達させる 社会人としての責任ある行動 行動を導く価値観や倫理体系の形成

【ハヴィガーストによる園児の発達課題】

① 20. 歩く ことの学習

② 固形の食物をとることの学習

③ 21. 話す ことの学習

④ 22. 排泄 をコントロールすることの学習

⑤ 性の違いと性についての慎みの学習

⑥ 社会や事物についての概念を形成し，それらを説明する言語を学習することの学習

⑦ 23. 読める ようになることの学習

⑧ 24. 善悪 を区別することの学習と 25. 良心 を発達させ始めることの学習

• second try •		• first try •

年　月　日（　）
⏰　：　〜　：
☀ ☁ ☂ （　）
✏ am・pm　　℃
😀 😐 😣 😖 😫

年　月　日（　）
⏰　：　〜　：
☀ ☁ ☂ （　）
✏ am・pm　　℃
😀 😐 😣 😖 😫

1.	1.
2.	2.
3.	3.
4.	4.
5.	5.
6.	6.
7.	7.
8.	8.
9.	9.
10.	10.
11.	11.
12.	12.
13.	13.
14.	14.
15.	15.
16.	16.
17.	17.
18.	18.
19.	19.
20.	20.
21.	21.
22.	22.
23.	23.
24.	24.
25.	25.

✚ プラスチェック！

[身体発育による発達の区分①]

□第1児童期（0〜7歳）

　①乳児期…0〜1歳

　②中性児童期

　　　第1充実期…2〜4歳

　　　第1伸長期…5〜7歳

＊このページで覚えた知識を教師になってどう活かしたい？

＊あ！あれ何だっけ？　確認メモ！

発達・発育の特徴

【発達の特徴】

(1)　**分化と統合**

　　　心身の機能の発達は細かく分かれていき，その後 1.まとまり が生まれる。

(2)　**方向性**

　　　発達には 2.頭部 から下半身へ，3.中心部 から末梢部へという一定の方向性がある。

　　　○　4.頭部 ― 尾部勾配 …… 身体の発達は，頭部から尾部，脚部の方向に向かって進行する。

　　　○　5.中心部 ― 周辺部勾配 …… 身体の発達は，中心部から 6.周辺部 （末梢部）へ向かって進行する。

(3)　**臨界期・最適期**

　　　ある 7.時期 にだけ有効な発達の時期があり，それを逃すと困難になる。

(4)　**個人差**

　　　発達には 8.個人 によって差がある。

(5)　**順序性**

　　　発達には一定の 9.順序 がある。

a. 新生児の姿勢　　　b. 首が安定　　　c. 頭と肩の統制が可能　　　d. 上体を起こせる

e. 骨盤と肩の統制の不調和　　　f. よろめきながら四つんばいが可能　　　g. はいはいが可能

(6)　**性差**

　　　10.男女 による発達の差がある。

(7)　**成長率の違い**

　　　身体諸器官の種類によって 11.成長率 に違いがある。（次図は 12.スキャモン の発達曲線）

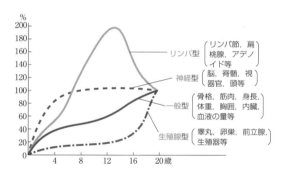

(8) 順応性

病気等で一時的に発達が遅れても，条件が整えば，13. 発達曲線 は本来の正常な変動の範囲までもとどおり回復する。

【各時期における発達の特徴】

名称	時期	特徴
14. 胎児期	妊娠2か月から出生（受精から出生までを 15. 胎生期 という）	身体諸機能の発達，機能化の始まり，生殖器の発達，まぶた，爪，目の形成など。
16. 新生児期	出生から4週間	出生時身長約50cm，体重約3kg，身体活動の母体外での活動期，呼吸，血液循環，消化機能，体温調節などの身体活動の外界への適応時期。
17. 乳児期	生後4週間から1年または生後1年半までの時期	生後から身長が1.5倍，体重が3倍になり身体が急激に発達する。18. 大脳皮質 の発達による運動，認識機能や学習能力の発達，前言語期の基礎の形成期。
19. 幼児期	1歳ないし1歳半から5，6歳	神経系，リンパ系の発達，20. 自我 の芽生え，歩行の確立によりスキップしたり，三輪車に乗れたり，ボール投げ，跳躍などが可能に。時空間をこえての思考の開始。仲間づくりもみられ 21. 社会性 が発達する。自我の発達から親に対する第一次反抗期が起こる時期でもある。弟や妹が誕生すると子供返りが起こり親の関心を引きつけようとする 22. 退行 がみられる。
23. 児童期	6歳から11，12歳	論理的思考の発達，数，空間，時間などの科学的基本概念の獲得，知識の増大，記憶の効果的獲得。

• second try •

年　月　日（　）
🕐　：　～　：
☀ ☁ ☂（　）
🌡 am・pm　　℃
😀 😊 😣 😫 😤

• first try •

年　月　日（　）
🕐　：　～　：
☀ ☁ ☂（　）
🌡 am・pm　　℃
😀 😊 😣 😫 😤

1.
2.
3.
4.
5.
6.
7.
8.
9.
10.
11.
12.
13.
14.
15.
16.
17.
18.
19.
20.
21.
22.
23.
24.
25.

1.
2.
3.
4.
5.
6.
7.
8.
9.
10.
11.
12.
13.
14.
15.
16.
17.
18.
19.
20.
21.
22.
23.
24.
25.

➕ プラスチェック！

［身体発育による発達の区分②］

□第2児童期（8〜20歳）

　①両性児童期

　　第2充実期（男8〜12歳，女8〜10歳）

　　第2伸長期（男13〜16歳，女11〜14歳）

　②成熟期…男17〜20歳，女15〜20歳

＊このページで覚えた知識を教師になってどう活かしたい？

＊あ！あれ何だっけ？　確認メモ！

幼児の発達と課題を踏まえた適切な対応と支援を

乳児期〜幼児期と系統だった発達の段階を知ることは，幼児をより理解していくことにつながる。幼児はすぐにできるようになるわけではない。教師として「待つ」ことも大切である。

幼児期の発達

【運動機能の発達】

歳	歩行	手先	全身
1歳	○15か月ぐらいで歩行 ○20か月ぐらいで普通に歩行，個人差が激しい	○つかんだり離すのが上手になる ○15か月ぐらいでカップやスプーンを使う	
2歳 3歳 4歳 5歳 6歳	○ 1.歩行 の完成	○簡単な折り紙ができる ○ボタンかけができる ○はしの使い方がわかる ○5〜6歳で手先が急に発達し，速度や正確さが増す	○階段を足踏みで昇る ○両足を交互にして昇る ○基本的な運動機能が備わる

【言語の発達】

歳	内容
1歳〜1歳半	ワンワン，ニャンニャンなどの 2.擬声語 やウマウマなどの 3.擬態語 が多い。片言が現れる
1歳半〜2歳	ものや自分の名前を理解できるようになる。パパなどの名詞のほかに 4.動詞 や 5.形容詞 も単語で言える
2歳〜2歳半	単語・単文の羅列で，感嘆文や時間の感覚が身につき始め， 6.順序 を追って話すことができる
2歳半〜	7.接続詞 や助詞が入って，誰にでも理解できるような話し言葉になる
3歳ごろ	ものの上下左右や前後の 8.感覚 がわかるようになる
4歳〜5歳	周りのものへの求知心がわき， 9.質問 する

【情緒の発達】

情緒	特徴
10.恐れ	感情の影響が著しく，怖かったことなどがあると夜泣きしたりする
11.怒り	驚いたことや印象に強いものほど記憶に残る。恐れや泣きわめいたり足をばたばたさせたりする癇癪も起きる
12.嫉妬	自分に向けられていた愛情が弟妹に向けられると，泣き虫になったり甘える感情がでる
13.愛情	母親に対して向けられ，やがて人形や他の子供にも向けられる

【社会的発達】

対人		特徴
大人		○１歳３か月ぐらいで 14. 禁止 の意味がわかる
		○１歳６か月ぐらいで 15. 命令 の意味がわかる
		○２歳ぐらいから 16. 第一反抗期 に入る
		○３歳ぐらいから子供同士の中で，競争や協力関係が芽生える
		○４～５歳ぐらいで社会生活の 17. きまり がわかるようになる
		○６歳ぐらいで大人の指示に従い，課題にあたる
幼児同士	18. 独り遊び	グループ意識はなく，一緒に遊べない
	19. 傍観	遊びに参加せず，見ている
	20. 並行遊び	他の幼児の影響で同じ遊びを同じ場所でする，一緒には遊べない
	21. 集団遊び	他の幼児と一緒になって遊ぶ

【乳幼児期における子どもの発達において重視すべき課題】

…文部科学省「子どもの徳育の充実に向けた在り方について」（報告）（2009年）より

►現在，乳幼児期の子育てを取り巻く状況について，少子化や都市化の影響から家庭や地域において子どもが人や自然と直接に触れあう経験が少なくなる，この時期の子どもにふさわしい生活のリズムが獲得されにくい，また，家族や地域社会の在り方が変化する中で不安や悩みを抱える保護者の増加，保護者の**養育力**の低下や**児童虐待**の増加などが指摘されている。

►これらを踏まえ，乳幼児期における発達において重視すべき課題として次の事項があげられる。
  ＊愛着の形成。
  ＊人に対する基本的信頼感の獲得。
  ＊基本的な**生活習慣**の形成。
  ＊十分な自己の発揮と他者の受容による**自己肯定感**の獲得。
  ＊道徳性や社会性の芽生えとなる遊びなどを通じた子ども同士の**体験活動**の充実。

• second try •

| 年　月　日（　） |
| 🕐 ：　～　： |
| ☀ ☁ ☂（　　） |
| 🌡 am・pm　　℃ |
| 😀 😐 😣 😫 😵 |

• first try •

| 年　月　日（　） |
| 🕐 ：　～　： |
| ☀ ☁ ☂（　　） |
| 🌡 am・pm　　℃ |
| 😀 😐 😣 😫 😵 |

second try	first try
1.	1.
2.	2.
3.	3.
4.	4.
5.	5.
6.	6.
7.	7.
8.	8.
9.	9.
10.	10.
11.	11.
12.	12.
13.	13.
14.	14.
15.	15.
16.	16.
17.	17.
18.	18.
19.	19.
20.	20.
21.	21.
22.	22.
23.	23.
24.	24.
25.	25.

➕ プラスチェック！

[記憶の発達／再生可能時間]
□１歳…数週間
□２歳…数か月
□３歳…１年
□４歳…１年以上
□５歳…２年以上

＊このページで覚えた知識を教師になってどう活かしたい？

＊あ！あれ何だっけ？　確認メモ！

動機づけは様々な活動において大切な要素

心理学的な視点を活用できることで，日々の幼児理解に役立ったり，保護者との面談の際などにわかりやすく伝えられたりすることなどが考えられる。内容をよく整理しておこう。

おもな心理学用語

心理学用語	内容
1. アニミズム	▶自己中心的な思考からくる幼児的な世界観の一つであり，生命のない事物や事象にも生命や意識があるとする考え方。
2. カウンセリング	▶クライエント（来談者）に対してカウンセラーが相談・協議して指導や助言を与えること。
3. カタルシス	▶抑圧された感情や欲求を発散させ，心の緊張を解消し安定を回復する。
葛藤	▶2つ以上の欲求が同時に存在し，いずれを選択するか迷う状態をいう。 4. コンフリクト ともいう。
5. KR情報	▶学習者自身が自分の反応や行動の結果を正否の基準に合わせて知ることで学習の促進を得ること。
刻印づけ	▶孵化したばかりのひな鳥に動き回る対象を見せると，あたかもそれが親鳥であるかのように追いかけ，他のものは見向きもしなくなる現象。刷り込み。ローレンツによる。 6. インプリンティング ともいう。
7. 自我同一性	▶自分が連続性と類似性をもった存在であるということを経験し，それに応じた行為をなしうること。エリクソンによる。アイデンティティともいう。
8. 条件反射	▶生得的な反射を手がかりとして，今までになかった反射がつくられる。
9. 心理的離乳	▶ホリングワースによる。青年期において自我の発達に伴い，親から精神的に独立すること。
10. ストレス	▶自律神経系に変異を起こさせるような生理的・精神的緊張負荷状態をいう。
11. 動機づけ	▶生活体に行動を起こさせ，その行動を一定の目標に方向づける過程のこと。モチベーションともいう。
12. 徒党時代	▶児童中期から後期にかけて仲間意識が急速に発達し，大人の干渉から逃れて自分たちだけの自由な集団を形成する時期のこと。ギャングエイジともいう。
13. ハロー効果	▶先入観でみると正しく実態をとらえられない。
14. パーソナリティ	▶心理的存在としての人そのもの，すなわち個人の心理的機能の総合的全体像を意味する概念。
15. ピグマリオン効果	▶ある人にとって，重要な意味を持つ他者がひそかに抱く期待によって，その人間の能力に変化が生じる現象。

▶忘却曲線

記憶の保持率 / 時間の経過

▶プラトー現象

学習の定義 / 学習活動

16. 忘却曲線	▶記憶の保持は時間の経過とともに薄れていく。それをグラフで示したもの。**エビングハウス**による。保持曲線ともいう。
17. プラトー現象	▶練習の初期には進歩がみられ，途中で停滞すること。高原現象ともいう。
18. ホスピタリズム	▶子供が家庭を離れて施設などで育てられる場合に生ずる発達遅退現象などのさまざまな特徴をさす。
19. モラトリアム	▶特定の同一性を選択し，社会的に成長するために，社会からの義務や役割を猶予されている期間。
欲求不満	▶何らかの原因によって目標達成ができず，欲求の充足が不可能な状況にあるために，正常なはけ口のない強い緊張状態にあること。 20. フラストレーション ともいう。
21. ラポール	▶面接者と被面接者との間におだやかな親和的関係が生じ，共感や相互理解がある状態。教師と子供間についても必要。
22. リビドー	▶自我衝動に対立する性衝動のこと。性的エネルギーと同義といえる。
23. レディネス	▶ある行動の習得に必要な条件が用意されている状態のことで，学習の準備性ともいう。
24. レミニッセンス	▶学習の成績が学習直後よりもむしろ一定時間の後において高くなる現象をいう。
25. 心的外傷後ストレス障害	▶PTSD（post-traumatic stress disorder）。大災害や戦争などの異常体験による心的外傷（トラウマ）から引き起こされるストレス障害のこと。

➕ プラスチェック！

[さらに心理学用語！]

□ 発達の最近接領域…子供が自分一人でできることと，誰かからのサポートがあればできることとの隔たり。ヴィゴツキーの提唱。

□ モデリング…モデルとなる人の行動を観察することで学習をする。バンデューラの提唱。

＊このページで覚えた知識を教師になってどう活かしたい？

＊あ！あれ何だっけ？　確認メモ！

行動のしかたや考え方などにあらわれたその子らしさを大切にして，一人一人の幼児が，そのよさを発揮しつつ育っていく過程を重視することが大切である。

幼児理解，教師の姿勢

【幼児を理解するとは】

▶幼児を理解するとは，一人一人の幼児と直接に触れ合いながら，幼児の言動や表情から思いや考えなどを理解しかつ受け止め，その幼児の 1.よさ や 2.可能性 を理解しようとすることを指している。

▶そのためには，安易に分かったと思い込んだり，この子はこうだと決め付けたりしてしまうのではなく，幼児と生活を共にしながら，「……らしい」「……ではないか」など，表面に表れた行動から 3.内面 を推し量ってみることや，内面に沿っていこうとする姿勢が大切である。
　　○幼児の生活する姿から，その幼児の 4.心の世界 を推測してみる。
　　○推測したことを基にかかわってみる。
　　○かかわりを通して幼児の 5.反応 から新しいことが推測される。
このような環境の中で徐々に幼児の行動の意味が見えてくる。

▶また，幼児の発達の理解を深めるためには，教師が幼稚園生活の全体を通して幼児の発達の実情を的確に把握することや，一人一人の幼児の個性や発達の 6.課題 を捉えることが大切である。

▶幼児の興味や関心のもち方は教師のかかわり方によって方向付けられ，何気なく使う 7.言葉 や 8.態度 はそのまま幼児の中に取り込まれていく。教師のかかわり方との関係で幼児の行動や心の動きを理解しようとすることが，保育を見直し，その 9.改善 を図るために大切なことである。

【保育における評価とは】

▶幼児期にふさわしい教育を進めるためには，保育における評価とは何かを明確に捉えることが必要である。

▶幼稚園教育要領解説では「評価は 10.幼児の発達 の理解と 11.教師の指導 の改善という両面から行うことが大切である」として，幼児の発達する姿を捉えることと，それに照らして教師の指導が適切であったかどうかを 12.振り返り 評価することの両面について行う必要があることを示している。

▶実際に幼児が生活する姿から発達の全体的な状況，よさや可能性など捉え，それに照らしてみて，
　　○教師の 13.かかわり方 は適切であったか。
　　○ 14.環境 の構成はふさわしいものであったか。
　　○あらかじめ教師が設定した指導の具体的な 15.ねらい や内容は妥当なものであったか。
などについて，振り返り評価をすることが必要である。

▶このような評価は常にそのための時間を取って行わなければならないというわけではなく，あの幼児はなぜあのような姿を見せたのだろうかと考えたりすることなど，日常的な素朴な振り返りも保育の改善に役立ちうるものである。日々の保育と評価は常に一体になっているものであり，ごく 16.日常的 なことであるということができる。

【教師の姿勢】

▶幼児理解は，教師が幼児を一方的に理解しようとすることだけで成り立つものではない。幼児も教師を理解するという 17.相互理解 によるものであると同時に，それは 18.相互影響 の過程で生まれたものであることを踏まえておくことが必要である。

▶教師が幼児を理解し評価することは，そのまま自分自身や自分の行っている保育を理解し評価していることに気付かされる。教師は自分自身に対する 19.理解 を深めるとともに，幼児と教師を取り巻く人々，状況などとの関連で幼児を捉えることが必要である。

＊温かい関係を育てる……教師との温かい 20.信頼関係 の中でこそ，幼児は伸び伸びと自己を発揮することができる。そのためには，優しさなどの幼児への 21.配慮 や幼児に対する 22.関心 をもち続けるといった気持ちが必要であり，名前を呼びかけるなど，相手を尊重する気持ちをもってその気持ちを幼児に具体的に伝えることが大切である。

＊相手の立場に立つ

＊内面を理解する……表面に表れた幼児の言葉や行動から，幼児の内面を理解することは，幼児の心を育てることを重視する 23.幼稚園教育 にとって欠くことのできないものである。幼児は自分の内面を，言葉だけでなく表情や動きといった身体全体で表現している。教師は，その思いや気持ちを丁寧に感じ取ろうとする 24.姿勢 をもつこと，教師自身の 25.枠組み に当てはめて決めつけないことが大切である。

＊長い目でみる

➕ プラスチェック！

□その幼児にとって今行っている活動がどのような意味をもっているかを理解することが必要である。

□活動の意味とは，幼児自身がその活動において実現しようとしていること，そこで経験していることであり，教師がその活動に設定した目的などではないことに注意する。

＊このページで覚えた知識を教師になってどう活かしたい？

＊あ！あれ何だっけ？ 確認メモ！

まだ十分に言葉にはならない幼児の様々な思い

子供の徳育充実の観点からは，乳幼児期からの基本的な生活習慣の形成が必要といえる。家庭・地域・学校が各々の特性を踏まえた適切な役割を分担していくことが大切である。

3～4歳の頃の生活例

	特徴
食事	*好き嫌いもはっきりしてきて， 1. 偏食傾向 を示しやすい。 *魚・卵・肉などたんぱく質を多く含む食材が苦手な場合は，牛乳など他の食品で補うように留意する。 *茶わんをもって箸を使う際，つまむ作業などはまだ動きがぎこちないこともあるため，スプーンやフォークを併用することも多い。 *2～3歳児の頃と比べると体の成長の 2. ゆるやかさ がみられ，1年間に増加する体重は2kg弱である。
睡眠	*理想的な睡眠時間は 3. 10～13 時間といわれ，短くても8～9時間の睡眠を確保できるようにしたい（就寝時刻が21時よりも早い幼児は，21時以降に就寝する幼児に比べて身体活動量が多いといったこともいわれている）。 *日中の活動すべき時間帯にはしっかりと体を動かし，よりよい 4. 睡眠 がとれるように心がけ，規則正しい生活を送ることが大切である。 *不規則な生活をしている場合は，体調をくずしやすい。 *就寝時には「眠いよう」「おふとんにいく」などと言うようになるが，親が添い寝をしないとなかなか寝つかないことが多い。
排泄	*3歳をすぎると小便や大便を知らせるようになるが，遊びなどに熱中すると漏らしていても気がつかないことがある。 *4歳頃になると自分で大便の後始末をできるようになるが，十分ではないため，確認する必要がある。 *着脱のしやすい服装に留意するのも一考である。 *おねしょはまだみられるため，寝る前にトイレにいったり，親が寝る前にも，もう一度トイレを促すようにすることが考えられる。
洗面等	*朝の洗顔が一人でできるようになる。 *上手にできない場合でも習慣にすることが大切である。 *おやつのあとには歯を磨く習慣をつけさせるなどが考えられる。 *入浴の際には，できるところは自分で洗うようにしていく。
着替え	*3歳を過ぎたら，自分の身の回りのことは，なるべく自分でするように促す。 *4歳になるまでには，着替えができるようになる幼児も多い。 *ボタンかけ（特に一番上）や，ひもを結ぶことは難しい。
疾病関係	* 5. 水痘 ・おたふく・風しんなどの感染症にかかりやすい。 *幼稚園に通いだすと，周りの友達からうつる場合も多いため，予防接種に留意する。 *精神的なことから「おなかが痛い」「ぽんぽんが痛い」などということがある。お腹をさすったり，トイレに行かせたりすると，短時間で治ることもある。

【想像力】

◉ 3歳を過ぎると 6.想像力 も急激に向上する。幼児の想像力を育てていくためには、さまざまな刺激や経験が必要である。

◉ 幼児の想像力は現実の世界と混ざりつつ成り立っていく。絵本を読む、話をする、絵を描く、音楽を聴く、積み木や粘土で遊ぶ、砂場で遊ぶ、といった想像力が高められるような 7.環境 に配慮することが大切である。

【精神的な成長】

◉ 4歳になると急激に認知・理解力が向上する時期になるため、幼児自身、戸惑ったり不安を感じたり、苛立つ気持ちをうまく表現できずに暴れたり、泣いたり、ぐずったりすることがある。「4歳の壁」ともいわれることがあるが、成長ゆえのあらわれのため、なぐさめたり甘えさせたりすることで落ち着くことも多いとされる。

◉ 一方、8.しつけ がしっかりと機能していないと「わがまま」という形であらわれていることも多い。まったく言うことを聞かない、少しも我慢ができないなど、反抗がひどくみられる場合には注意が必要である。

【運動の在り方】

▶基本的な動きが未熟な初期の段階から、9.日常生活 や体を使った遊びの経験をもとに、次第に動き方が上手にできるようになっていく時期。特に幼稚園、保育所等の生活や家庭での環境に 10.適応 しながら、未熟ながらも 11.基本的な動き が一通りできるようになる。

▶この時期の幼児には、遊びの中で多様な動きが経験でき、自分から進んで何度も 12.繰り返す ことにおもしろさを感じることができるような環境の構成が重要になる。

（例）立つ、座る、寝ころぶ、起きる、回る、転がる、渡る、ぶら下がるなどの「13.体のバランスをとる 動き」や、歩く、走る、はねる、跳ぶ、登る、下りる、這う、よける、すべるなどの「14.体を移動する 動き」を経験しておきたい。

• second try •

年 月 日（ ）
🕐 ：　～　：
☀ ☁ ☂（ 　 ）
🖊 am・pm 　 ℃
😀 😐 😣 😵 😫

1.
2.
3.
4.
5.
6.
7.
8.
9.
10.
11.
12.
13.
14.
15.
16.
17.
18.
19.
20.
21.
22.
23.
24.
25.

• first try •

年 月 日（ ）
🕐 ：　～　：
☀ ☁ ☂（ 　 ）
🖊 am・pm 　 ℃
😀 😐 😣 😵 😫

1.
2.
3.
4.
5.
6.
7.
8.
9.
10.
11.
12.
13.
14.
15.
16.
17.
18.
19.
20.
21.
22.
23.
24.
25.

✚ プラスチェック！

［幼児期の運動の行い方①］

□幼児期は、生涯にわたる運動全般の基本的な動きを身に付けやすい。

□体を動かす遊びを通して、動きが多様に獲得されるとともに、動きを繰り返し実施することによって動きの洗練化も図られていく。

＊このページで覚えた知識を教師になってどう活かしたい？

＊あ！あれ何だっけ？　確認メモ！

食べることは生きることの源

幼児の発達段階に応じて豊かな食の体験を積み重ねていくことは，食育の観点からも大切である。多くの種類の食材や料理を楽しく食べられるような食生活への支援が望まれる。

4～5歳の頃の生活例

	特徴
食事	＊3～4歳から箸を使わせていると，この頃になると器用に使えるようになる。 ＊たくさん食べる子，小食の子といった違いがみられるようになる。 ＊小食の場合には栄養のバランスを考える必要がある。 ＊野菜が嫌いな場合には，果物を食べさせて栄養を補うことなどが考えられる。 ＊好き嫌いや小食でも，幼稚園に行くようになると，お弁当（給食）を残さず食べるようになる場合もある。 ＊おやつなどで一般的に幼児に好まれているのは，サクサクしたスナック系のポテトチップスなどがあげられる。 1. 塩分 の摂取量には気をつける。
睡眠	＊通園が始まると朝決まった時間に家を出るようになるため，夜の就寝時間も一定になってくる。 ＊昼寝をする幼児は少なくなる。昼寝をしなくなった分，十分体を使うとすぐ寝てしまう。 ＊寝つきが悪いときは，昼の運動量が足りない場合がある。 ＊この頃になると，眠くなると自分でふとんに行って一人で寝られるようになる。 ＊毎晩寝るときに決まった本を読んでほしいと希望する場合がある。文章を覚えており，間違えると指摘したりする。
排泄	＊このころになると小便も大便も一人でできるようになる。 ＊衣服が汚れるのをおそれるなどで親が手をかけすぎると，一人でできるのを妨げることになる。 ＊（簡易）便器ではなく，トイレへ行ってさせるようにする。子供用のスリッパを用意しておいたりすると，喜んで行ったりする。 ＊おねしょをする場合は，小言をいうとかえって逆効果になることも多い。
洗面等	＊3～4歳の頃に比べて上達している。 ＊ねり歯磨を歯ブラシにつけて歯を磨き，口をすすぐことができる。 ＊ 2. 磨き残し については注意する必要がある。
着替え	＊3～4歳の頃に比べ自立性も向上しているため，衣服の着脱もうまくなっている。 ＊時間がかかることで大人が手だすけをしすぎると，5歳を過ぎても一人で着替えられなくなることもある。
疾病関係	＊ 3. 麻しん と，下記水痘，風しん，百日咳は，定期接種対象の感染症。 ＊ 4. 水痘 の感染経路は，空気感染・飛沫感染・接触感染。胸，首，顔面などに小さな水ぶくれがでてくる。患者との接触後72時間以内のワクチン接種は，発症阻止か病状軽減が期待される。発症者1名の時点で幼児のり患歴・予防接種歴の確認をすることが望ましい。 ＊ 5. おたふく は，予防ワクチンが有効。春から夏にかけての発症が多くみられる。耳や下あごが腫れる。耳下腺，顎下腺か舌下腺の腫脹が発現した後5日を経過しかつ全身状態が良好になれば登園可能。 ＊ 6. 風しん は，疹も麻しんに似ているが2～3日ぐらいでよくなってくる。妊婦の感染には注意。 ＊ 7. 百日咳 は，予防ワクチンの普及で最近減少している。発熱は少ない。咳の出るときはかなり苦しく（夜間に強まる），治療をしていても半月～1か月間は咳がでる。幼少ほど重症状の可能性。

【発見する，創造する】

● 4歳の頃は，想像力が非常に活発で，知的な生活面・社会的な生活面にて日々いろいろなことに興味・関心を示し，吸収し，世界を広げていく時期である。そのため，8.創造性 が最も伸びる時期でもある。

【運動の在り方】

➤ それまでに経験した基本的な動きが 9.定着 しはじめる。

➤ 友達と一緒に運動することに 10.楽しさ を見いだし，また 11.環境 との関わり方や遊び方を工夫しながら，多くの動きを経験するようになる。

➤ 特に全身の 12.バランス をとる能力が発達し，身近にある用具を使って操作するような動きも上手になっていく

➤ 遊びを発展させ，自分たちで 13.ルール や決まりを作ることにおもしろさを見いだしたり，大人が行う動きのまねをしたりすることに興味を示すようになる。

（例） なわ跳びやボール遊びなど，体全体でリズムをとったり，用具を巧みに操作したりコントロールさせたりする遊びの中で，持つ，運ぶ，投げる，捕る，転がす，蹴る，積む，こぐ，掘る，押す，引くなどの「14.用具などを操作 する動き」を経験しておきたい。

	• second try •		• first try •
	年 月 日( )		年 月 日( )
🕐	: ～ :	🕐	: ～ :
☀☁☂	( )	☀☁☂	( )
🌡	am・pm ℃	🌡	am・pm ℃
	😀😐😟😣😫		😀😐😟😣😫

	second try		first try
1.		1.	
2.		2.	
3.		3.	
4.		4.	
5.		5.	
6.		6.	
7.		7.	
8.		8.	
9.		9.	
10.		10.	
11.		11.	
12.		12.	
13.		13.	
14.		14.	
15.		15.	
16.		16.	
17.		17.	
18.		18.	
19.		19.	
20.		20.	
21.		21.	
22.		22.	
23.		23.	
24.		24.	
25.		25.	

➕ プラスチェック！

[幼児期の運動の行い方②]

□ 幼児期における運動については，適切に構成された環境の下で，幼児が自発的に取り組む様々な遊びを中心に体を動かすことを通して，生涯にわたって心身ともに健康的に生きるための基盤を培うことが必要である。

＊このページで覚えた知識を教師になってどう活かしたい？

＊あ！あれ何だっけ？　確認メモ！

協同的な学びによる道徳性・社会性基盤のはぐくみ

幼児は幼稚園等に通うようになると，自分の感情や意志を表現しながら協同的な学びを通じ，十分な自己の発揮と他者の受容を経験していく。

５～６歳の頃の生活例

	特徴
食事	＊幼稚園等に通うため朝食の時間は一定となるが，ゆっくり食べる時間がないなどの理由で，朝食をあまり食べない，もしくは摂らない幼児もいる。 ＊朝食を摂らない場合には，夕食はしっかりと食べさせたい。 ＊偏食は依然としてみられるが，栄養が片寄るような内容は少なくなる。 ＊幼稚園等から帰ると間食もするが，なるべくなら旬の果物がよい。 ＊全体的には親が期待するほどには食事をとらない。 ＊食事前に親が手を洗っている家庭では，幼児もそれを見て自然とするようになる。 ＊テレビを見ながら食事をするのは，団らん時間がゆっくりと取れないことなどが考えられるため，要検討事項と思われる。
睡眠	＊多くの子供が幼稚園や保育所に通っていることから，朝8時前に起床，9時か10時には就寝となる。 ＊昼寝は夏季を除きほとんどしなくなる（夏季はプールなどの水遊びなどで体を十分動かすので昼寝をする場合が多い）。
排泄	＊自立する。
洗面等	＊自立する。 ＊夜の歯磨き習慣は，この頃までにつけておかないと後からはなかなか習慣化が難しい。
着替え	＊自立する。 ＊自分のことは自分で行わせるようにする。 ＊自分で好みの服を選んで着たりするようになる。
疾病関係	＊この頃に多くみられるものとして，夜間の急な発熱やかぜ，扁桃腺炎などがある。 ＊初めてかかる大きな病気としては 1. 虫垂炎 があげられる。元気がなくなり，胸がむかむかし，多少熱があるときは疑う必要がある。幼児はへその右下が痛い，といった言い方はしないことが多い。 ＊自慰はこの年齢ではめずらしくない。 ＊女子は，おりもののようなものがみられることがある。

【集団における生活】

● この頃の幼児の多くは幼稚園か保育所に通っている。幼稚園の活動においては，目的を決めて課題をやり遂げる力の育成が大切となる。家庭とは異なる 2.集団 での社会的な生活の中で，3.責任感 も育てなければならない。

● 4.言語能力 や記憶力が向上し，自分の気持ちを相手にしっかりと伝えられるようになるため，協力し合い，自分の意見を言える力も求められてくる。

● また，体を鍛えることが大切である。

● 外で体をめいっぱい使って遊ぶこと，友達との交流は，集団の 5.ルール を学ぶことにもつながる。春は潮干狩り，夏は水遊び，秋は落ち葉拾い，冬は雪遊び，といった 6.季節 が感じられる遊びに考慮したい。服装は，7.温度調節 や運動性・安全性にも留意したい。

【5歳の中間反抗期】

● 自分でできることが増える5歳頃は，「自分で考えて行動をしたい」といった気持ちが強くなることから，口ごたえをしたり無視をしたり，癇癪（かんしゃく）を起こすといった反抗的な態度を取ることも多くみられる。

● 子供の心が成長している証拠と捉え，本人の意思を尊重する，しっかりと会話をするなど，根気強く向き合っていくことが大切である。

【運動の在り方】

➤ 無駄な動きや力みなどの過剰な動きが少なくなり，動き方が上手になっていく時期。

➤ 友達と共通の 8.イメージ をもって遊んだり，9.目的 に向かって集団で行動したり，友達と力を合わせたり 10.役割 を分担したりして遊ぶようになり，満足するまで取り組むようになる。

➤ 11.全身運動 が滑らかで巧みになり，全力で走ったり，跳んだりすることに心地よさを感じるようになる。

➤ 「体のバランスをとる動き」「体を移動する動き」「用具などを操作する動き」の，より滑らかな遂行。

➤ これまでより 12.複雑 な動きの遊びや様々なルールでの鬼遊びなどを経験しておきたい。

➕ プラスチェック！

[習い事]

□ 5～6歳頃になると7割以上が習い事をしており，複数掛け持ちする幼児も少なくない。

□ スイミング，ダンス，サッカー，英会話，楽器等。

□ その幼児の適性や能力が何かわからず，子供にも意欲がみられない場合は，無理に通わせる必要はない。

＊このページで覚えた知識を教師になってどう活かしたい？

＊あ！あれ何だっけ？　確認メモ！

学校・家庭・地域で共有活用する「学びの地図」

幼稚園教育要領は，幼稚園教育において育みたい資質・能力として「知識及び技能の基礎」「思考力・判断力・表現力等の基礎」「学びに向かう力，人間性等」の三つを示している。

幼稚園教育要領：前文

教育要領関連法規

■教育基本法　[第11条]

幼児期の教育は，生涯にわたる 1.人格形成 の基礎を培う重要なものであることにかんがみ，国及び地方公共団体は，幼児の健やかな成長に資する良好な**環境**の整備その他適当な方法によって，その**振興**に努めなければならない。

■学校教育法　[第22条]

幼稚園は，2.義務教育 及びその後の教育の基礎を培うものとして，幼児を**保育**し，幼児の健やかな成長のために適当な**環境**を与えて，その**心身**の発達を助長することを目的とする。

■学校教育法施行規則

[第37条]　幼稚園の毎学年の教育週数は，特別の事情のある場合を除き，3.39 週を下ってはならない。

[第38条]　幼稚園の教育課程その他の保育内容については，この章に定めるもののほか，教育課程その他の保育内容の基準として文部科学大臣が別に公示する 4.幼稚園教育要領 によるものとする。

教育は，教育基本法第１条に定めるとおり，5.人格 の完成を目指し，平和で民主的な国家及び社会の**形成者**として必要な資質を備えた心身ともに健康な**国民**の育成を期すという目的のもと，同法第２条に掲げる次の目標を達成するよう行われなければならない。

１．幅広い知識と教養を身に付け，真理を求める態度を養い，**豊かな情操**と 6.道徳心 を培うとともに，**健やかな身体**を養うこと。

２．**個人**の価値を尊重して，その能力を伸ばし，創造性を培い，**自主**及び**自律**の精神を養うとともに，職業及び生活との関連を重視し，**勤労**を重んずる態度を養うこと。

３．正義と責任，男女の平等，自他の敬愛と 7.協力 を重んずるとともに，公共の精神に基づき，主体的に社会の形成に参画し，その発展に寄与する態度を養うこと。

４．**生命**を尊び，**自然**を大切にし，**環境**の保全に寄与する態度を養うこと。

５．伝統と文化を**尊重**し，それらをはぐくんできた我が国と郷土を**愛する**とともに，他国を尊重し，**国際社会**の平和と発展に寄与する態度を養うこと。

また，幼児期の教育については，同法第11条に掲げるとおり，生涯にわたる**人格形成**の基礎を培う重要なものであることにかんがみ，国及び地方公共団体は，幼児の健やかな 8.成長 に資する良好な 9.環境 の整備その他適当な方法によって，その振興に努めなければならないこととされている。

これからの幼稚園には，10. 学校教育 の始まりとして，こうした教育の目的及び目標の達成を目指しつつ，一人一人の幼児が，将来，自分のよさや可能性を認識するとともに，あらゆる他者を価値のある存在として尊重し，多様な人々と 11. 協働 しながら様々な社会的変化を乗り越え，豊かな人生を切り拓き，持続可能な社会の創り手となることができるようにするための 12. 基礎 を培うことが求められる。このために必要な教育の在り方を具体化するのが，各幼稚園において教育の内容等を 13. 組織的 かつ 14. 計画的 に組み立てた教育課程である。

教育課程を通して，これからの時代に求められる教育を実現していくためには，よりよい学校教育を通してよりよい社会を創るという理念を学校と社会とが 15. 共有 し，それぞれの幼稚園において，幼児期にふさわしい 16. 生活 をどのように展開し，どのような資質・能力を育むようにするのかを 17. 教育課程 において明確にしながら，社会との連携及び協働によりその実現を図っていくという，社会に開かれた教育課程の実現が重要となる。

幼稚園教育要領とは，こうした理念の実現に向けて必要となる教育課程の基準を 18. 大綱的 に定めるものである。幼稚園教育要領が果たす役割の一つは，19. 公の性質 を有する幼稚園における教育水準を全国的に確保することである。また，各幼稚園がその特色を生かして 20. 創意工夫 を重ね，長年にわたり積み重ねられてきた 21. 教育実践 や学術研究の蓄積を生かしながら，幼児や 22. 地域 の現状や課題を捉え，家庭や地域社会と協力して，幼稚園教育要領を踏まえた教育活動の更なる充実を図っていくことも重要である。

幼児の 23. 自発的 な活動としての遊びを生み出すために必要な環境を整え，一人一人の資質・能力を育んでいくことは，教職員をはじめとする幼稚園関係者はもとより，家庭や地域の人々も含め，様々な立場から幼児や幼稚園に関わる全ての大人に期待される役割である。24. 家庭 との緊密な連携の下，25. 小学校 以降の教育や生涯にわたる学習とのつながりを見通しながら，幼児の自発的な活動としての遊びを通しての総合的な指導をする際に広く活用されるものとなることを期待して，ここに幼稚園教育要領を定める。

• second try •   • first try •

年 月 日（ ）	年 月 日（ ）
🕐 ： ～ ：	🕐 ： ～ ：
☀ ☁ ☂ （ ）	☀ ☁ ☂ （ ）
🌡 am・pm ℃	🌡 am・pm ℃
😊 😐 😞 😣 😫	😊 😐 😞 😣 😫

1.	1.
2.	2.
3.	3.
4.	4.
5.	5.
6.	6.
7.	7.
8.	8.
9.	9.
10.	10.
11.	11.
12.	12.
13.	13.
14.	14.
15.	15.
16.	16.
17.	17.
18.	18.
19.	19.
20.	20.
21.	21.
22.	22.
23.	23.
24.	24.
25.	25.

➕ プラスチェック！

[現行幼稚園教育要領の構成]

□前文，第1章：総則，第2章：ねらい及び内容（「健康」「人間関係」「環境」「言葉」「表現」の5領域），第3章：教育課程に係る教育時間の終了後等に行う教育活動などの留意事項

＊このページで覚えた知識を教師になってどう活かしたい？

＊あ！あれ何だっけ？　確認メモ！

潜在的な可能性に働きかけ，人格形成を図る

幼児期の教育は，生涯にわたる人格形成の基礎を培う重要な役割を担っている。幼稚園教育では，人間として社会と関わり生きていくための基礎を培うことが大切である。

幼稚園教育要領：総則—①

第1　幼稚園教育の基本

幼児期の教育は，[1. 生涯]にわたる人格形成の**基礎**を培う重要なものであり，幼稚園教育は，学校教育法に規定する目的及び目標を達成するため，幼児期の[2. 特性]を踏まえ，[3. 環境]を通して行うものであることを基本とする。

このため教師は，幼児との[4. 信頼関係]を十分に築き，幼児が身近な環境に[5. 主体的]に関わり，**環境**との関わり方や意味に気付き，これらを取り込もうとして，試行錯誤したり，考えたりするようになる幼児期の教育における見方・考え方を生かし，幼児と共によりよい[6. 教育環境]を創造するように努めるものとする。これらを踏まえ，次に示す事項を重視して教育を行わなければならない。

1．幼児は[7. 安定]した**情緒**の下で自己を十分に発揮することにより発達に必要な[8. 体験]を得ていくものであることを考慮して，幼児の**主体的**な活動を促し，幼児期にふさわしい[9. 生活]が展開されるようにすること。

2．幼児の**自発的**な活動としての[10. 遊び]は，心身の調和のとれた[11. 発達]の基礎を培う重要な学習であることを考慮して，遊びを通しての指導を中心として第2章に示すねらいが**総合的**に達成されるようにすること。

3．幼児の発達は，[12. 心身]の諸側面が相互に関連し合い，多様な経過をたどって成し遂げられていくものであること，また，幼児の[13. 生活体験]がそれぞれ**異なる**ことなどを考慮して，幼児一人一人の**特性**に応じ，発達の[14. 課題]に即した指導を行うようにすること。

その際，教師は，幼児の主体的な活動が確保されるよう幼児一人一人の行動の理解と[15. 予想]に基づき，[16. 計画的]に環境を構成しなければならない。この場合において，教師は，幼児と人やものとの関わりが重要であることを踏まえ，[17. 教材]を工夫し，**物的・空間的環境**を構成しなければならない。また，幼児一人一人の活動の場面に応じて，様々な役割を果たし，その活動を豊かにしなければならない。

第2　幼稚園教育において育みたい資質・能力及び「[18. 幼児期]の終わりまでに育ってほしい姿」

1．幼稚園においては，[19. 生きる力]の基礎を育むため，この章の第1に示す幼稚園教育の基本を踏まえ，次に掲げる資質・能力を一体的に育むよう努めるものとする。

(1)　豊かな[20. 体験]を通じて，感じたり，気付いたり，分かったり，できるようになったりする「知識及び技能の基礎」

(2) 気付いたことや，できるようになったことなどを使い，考え
たり，試したり，工夫したり，表現したりする「 21.思考力 ，
22.判断力 ， 23.表現力 等の基礎」

(3) 心情，意欲，態度が育つ中で，よりよい 24.生活 を営もう
とする「学びに向かう力， 25.人間性 等」

2. 1に示す資質・能力は，第2章に示すねらい及び内容に基づく
活動全体によって育むものである。

• second try	• first try
年 月 日（ ）	年 月 日（ ）
⏰ ： ～ ：	⏰ ： ～ ：
☀ ☁ ☂ （ ）	☀ ☁ ☂ （ ）
✏ am・pm ℃	✏ am・pm ℃
😀 😐 ☹ 😣 😫	😀 😐 ☹ 😣 😫

second try	first try
1.	1.
2.	2.
3.	3.
4.	4.
5.	5.
6.	6.
7.	7.
8.	8.
9.	9.
10.	10.
11.	11.
12.	12.
13.	13.
14.	14.
15.	15.
16.	16.
17.	17.
18.	18.
19.	19.
20.	20.
21.	21.
22.	22.
23.	23.
24.	24.
25.	25.

➕ **プラスチェック！**

[現行幼稚園教育要領への改訂の経緯①]

□中央教育審議会が「幼稚園，小学校，中学校，高等
学校及び特別支援学校の学習指導要領等の改善及び
必要な方策等について」を答申。

□6点の枠組み（→P.83参照）改善とカリキュラム・
マネジメントの実現を目指すことが示された。

＊このページで覚えた知識を教師になってどう活かしたい？

＊あ！あれ何だっけ？　確認メモ！

幼稚園の教師は「幼児期の終わりまでに育ってほしい姿」を念頭に，指導を行う際には，一人一人の発達に必要な体験が得られるような状況づくりや援助を行うことが求められる。

幼稚園教育要領：総則─②

3．次に示す「**幼児期の終わりまでに育ってほしい姿**」は，第2章に示すねらい及び内容に基づく活動全体を通して資質・能力が育まれている幼児の**幼稚園修了時**の具体的な姿であり，教師が指導を行う際に考慮するものである。

(1) **健康な心と体**

　　幼稚園生活の中で，充実感をもって自分のやりたいことに向かって心と体を十分に働かせ，**見通しをもって行動し**，自ら 1.健康 で安全な生活をつくり出すようになる。

(2) 2.自立心

　　身近な環境に主体的に関わり様々な活動を楽しむ中で，しなければならないことを**自覚**し，自分の力で行うために考えたり，工夫したりしながら，諦めずにやり遂げることで**達成感**を味わい，3.自信 をもって行動するようになる。

(3) 4.協同性

　　友達と関わる中で，互いの思いや考えなどを 5.共有 し，共通の**目的**の実現に向けて，考えたり，工夫したり，6.協力 したりし，**充実感**をもってやり遂げるようになる。

(4) 7.道徳性 ・規範意識の芽生え

　　友達と様々な体験を重ねる中で，してよいことや**悪い**ことが分かり，自分の行動を振り返ったり，友達の気持ちに**共感**したりし，**相手の立場**に立って行動するようになる。また，8.きまり を守る必要性が分かり，自分の気持ちを調整し，友達と折り合いを付けながら，きまりをつくったり，守ったりするようになる。

(5) **社会生活との関わり**

　　家族を大切にしようとする気持ちをもつとともに，9.地域 の身近な人と触れ合う中で，人との様々な 10.関わり方 に気付き，相手の気持ちを考えて関わり，自分が**役に立つ喜び**を感じ，地域に**親しみ**をもつようになる。また，幼稚園内外の様々な環境に関わる中で，11.遊び や生活に必要な情報を取り入れ，情報に基づき**判断**したり，情報を伝え合ったり，活用したりするなど，**情報を役立て**ながら活動するようになるとともに，12.公共 の施設を大切に利用するなどして，13.社会 とのつながりなどを意識するようになる。

•second try•	•first try•
年　月　日（　）	年　月　日（　）
🕐　：　〜　：	🕐　：　〜　：
☀ ☁ ☂ （　）	☀ ☁ ☂ （　）
🌡 am・pm　℃	🌡 am・pm　℃
😊 😐 😞 😵 😫	😊 😐 😞 😵 😫

(6)　14.思考力 の芽生え

　　身近な事象に積極的に関わる中で，物の**性質**や**仕組み**などを感じ取ったり，気付いたりし，考えたり，予想したり，工夫したりするなど，多様な関わりを楽しむようになる。また，友達の様々な考えに触れる中で，自分と**異なる考え**があることに気付き，自ら 15.判断 したり，考え直したりするなど， 16.新しい考え を生み出す喜びを味わいながら，自分の考えをよりよいものにするようになる。

(7)　**自然との関わり・** 17.生命尊重

　　自然に触れて 18.感動 する体験を通して，自然の変化などを感じ取り，**好奇心**や**探究心**をもって考え言葉などで表現しながら，身近な事象への関心が高まるとともに，自然への愛情や 19.畏敬 の念をもつようになる。また，身近な動植物に心を動かされる中で，生命の**不思議さ**や**尊さ**に気付き，身近な動植物への接し方を考え，命あるものとして**いたわり**，**大切にする気持ち**をもって関わるようになる。

(8)　**数量や図形，標識や文字などへの関心・感覚**

　　遊びや生活の中で，数量や図形，標識や文字などに 20.親しむ 体験を重ねたり，標識や文字の 21.役割 に気付いたりし，自らの**必要感**に基づきこれらを活用し，興味や関心，感覚をもつようになる。

(9)　22.言葉 による伝え合い

　　先生や友達と心を通わせる中で， 23.絵本 や物語などに親しみながら，豊かな言葉や表現を身に付け，経験したことや考えたことなどを**言葉で伝え**たり，相手の話を注意して聞いたりし，言葉による**伝え合い**を楽しむようになる。

(10)　**豊かな感性と表現**

　　心を動かす出来事などに触れ 24.感性 を働かせる中で，様々な素材の特徴や 25.表現の仕方 などに気付き，感じたことや考えたことを自分で表現したり，友達同士で表現する過程を楽しんだりし，**表現する喜び**を味わい，**意欲**をもつようになる。

second try	first try
1.	1.
2.	2.
3.	3.
4.	4.
5.	5.
6.	6.
7.	7.
8.	8.
9.	9.
10.	10.
11.	11.
12.	12.
13.	13.
14.	14.
15.	15.
16.	16.
17.	17.
18.	18.
19.	19.
20.	20.
21.	21.
22.	22.
23.	23.
24.	24.
25.	25.

✚ プラスチェック！

[現行幼稚園教育要領への改訂の経緯②]

□６点の枠組み…①何ができるようになるか，②何を学ぶか，③どのように学ぶか，④子供一人一人の発達をどのように支援するか，⑤何が身に付いたか，⑥実施するために何が必要か。

＊このページで覚えた知識を教師になってどう活かしたい？

＊あ！あれ何だっけ？　確認メモ！

各幼稚園では編成した教育課程に基づき，園長のもと全教職員の協力体制で，組織的・計画的に教育活動の質向上を図るカリキュラム・マネジメントを実施することが求められる。

幼稚園教育要領：総則―③

第3　教育課程の役割と編成等

1．教育課程の役割

　　各幼稚園においては，教育基本法及び [1.学校教育法] その他の法令並びにこの幼稚園教育要領の示すところに従い，[2.創意工夫] を生かし，幼児の心身の [3.発達] と幼稚園及び地域の実態に即応した適切な **教育課程** を編成するものとする。

　　また，各幼稚園においては，6に示す全体的な計画にも留意しながら，「幼児期の終わりまでに育ってほしい姿」を踏まえ教育課程を編成すること，教育課程の実施状況を [4.評価] してその [5.改善] を図っていくこと，教育課程の実施に必要な人的又は物的な **体制** を確保するとともにその改善を図っていくことなどを通して，教育課程に基づき [6.組織的] かつ [7.計画的] に各幼稚園の教育活動の質の向上を図っていくこと（以下「カリキュラム・マネジメント」という。）に努めるものとする。

2．各幼稚園の教育目標と教育課程の編成

　　教育課程の編成に当たっては，幼稚園教育において育みたい資質・能力を踏まえつつ，各幼稚園の [8.教育目標] を明確にするとともに，教育課程の編成についての基本的な方針が **家庭** や **地域** とも [9.共有] されるよう努めるものとする。

3．教育課程の編成上の基本的事項

(1)　幼稚園生活の全体を通して第2章に示すねらいが総合的に達成されるよう，教育課程に係る教育期間や幼児の **生活経験** や発達の過程などを考慮して具体的なねらいと内容を組織するものとする。この場合においては，特に，自我が [10.芽生え]，他者の存在を意識し，自己を [11.抑制] しようとする気持ちが生まれる幼児期の発達の特性を踏まえ，入園から修了に至るまでの [12.長期的] な視野をもって充実した生活が展開できるように配慮するものとする。

(2)　幼稚園の毎学年の教育課程に係る **教育週数** は，特別の事情のある場合を除き，[13.39] 週を下ってはならない。

(3)　幼稚園の1日の教育課程に係る **教育時間** は，[14.4] 時間を標準とする。ただし，幼児の心身の発達の程度や [15.季節] などに適切に配慮するものとする。

4．教育課程の編成上の留意事項

(1)　幼児の生活は，入園当初の一人一人の遊びや教師との 16. 触れ合い を通して幼稚園生活に親しみ，安定していく時期から，他の幼児との関わりの中で幼児の主体的な活動が深まり，幼児が互いに必要な存在であることを認識するようになり，やがて幼児同士や学級全体で目的をもって 17. 協同 して幼稚園生活を展開し，深めていく時期などに至るまでの過程を様々に経ながら広げられていくものであることを考慮し， 18. 活動 がそれぞれの時期にふさわしく展開されるようにすること。

(2)　入園当初，特に， 19. 3 歳児の入園については，**家庭**との連携を緊密にし，生活の**リズム**や**安全**面に十分配慮すること。また，満 20. 3 歳児については，学年の途中から入園することを考慮し，幼児が**安心**して幼稚園生活を過ごすことができるよう配慮すること。

(3)　幼稚園生活が幼児にとって 21. 安全 なものとなるよう，教職員による協力体制の下，幼児の主体的な活動を大切にしつつ，園庭や園舎などの 22. 環境 の配慮や指導の工夫を行うこと。

5．小学校教育との接続に当たっての留意事項

(1)　幼稚園においては，幼稚園教育が，小学校以降の生活や学習の基盤の育成につながることに配慮し，幼児期にふさわしい生活を通して，創造的な思考や主体的な生活態度などの 23. 基礎 を培うようにするものとする。

(2)　幼稚園教育において育まれた資質・能力を踏まえ，小学校教育が円滑に行われるよう， 24. 小学校 の教師との意見交換や合同の研究の機会などを設け，「幼児期の終わりまでに育ってほしい姿」を共有するなど**連携**を図り，幼稚園教育と小学校教育との円滑な 25. 接続 を図るよう努めるものとする。

・ second try ・　　　・ first try ・

年　月　日（　）　　　　年　月　日（　）
：　～　：　　　　　：　～　：
☼ ☁ ☂（　）　　　　☼ ☁ ☂（　）
am・pm　℃　　　　am・pm　℃
😊 😐 😣 😫 😵　　　　😊 😐 😣 😫 😵

1.　　　　1.
2.　　　　2.
3.　　　　3.
4.　　　　4.
5.　　　　5.
6.　　　　6.
7.　　　　7.
8.　　　　8.
9.　　　　9.
10.　　　　10.
11.　　　　11.
12.　　　　12.
13.　　　　13.
14.　　　　14.
15.　　　　15.
16.　　　　16.
17.　　　　17.
18.　　　　18.
19.　　　　19.
20.　　　　20.
21.　　　　21.
22.　　　　22.
23.　　　　23.
24.　　　　24.
25.　　　　25.

➕ **プラスチェック！**

□ 各幼稚園の園長は，以下の点を踏まえ教育課程を編成しなければならない。
□ 幼児の心身の発達…幼児の発達の見通しなど。
□ 幼稚園の実態…園規模，教職員構成，遊具・用具等。
□ 地域の実態…地域の社会的施設などの資源の考慮も。
□ 創意工夫を生かすこと。

＊このページで覚えた知識を教師になってどう活かしたい？

＊あ！あれ何だっけ？　確認メモ！

幼稚園教育要領 :総則—④

６．全体的な計画の作成

　各幼稚園においては，教育課程を中心に，第３章に示す教育課程に係る教育時間の終了後等に行う教育活動の計画，**学校保健計画**，**学校安全計画**などとを関連させ，一体的に教育活動が展開されるよう全体的な計画を作成するものとする。

第４　指導計画の作成と幼児理解に基づいた評価
１．指導計画の考え方

　幼稚園教育は，幼児が自ら意欲をもって 1.環境 と関わることによりつくり出される具体的な活動を通して，その目標の達成を図るものである。

　幼稚園においてはこのことを踏まえ，幼児期にふさわしい 2.生活 が展開され，適切な指導が行われるよう，それぞれの幼稚園の教育課程に基づき，調和のとれた組織的，発展的な指導計画を作成し，幼児の活動に沿った柔軟な 3.指導 を行わなければならない。

２．指導計画の作成上の基本的事項

(1)　指導計画は，幼児の発達に即して一人一人の幼児が幼児期にふさわしい生活を展開し，必要な 4.体験 を得られるようにするために，**具体的**に作成するものとする。

(2)　指導計画の作成に当たっては，次に示すところにより，具体的なねらい及び内容を明確に設定し，適切な環境を構成することなどにより活動が選択・展開されるようにするものとする。

　　ア　具体的なねらい及び内容は，幼稚園生活における幼児の 5.発達 の過程を見通し，幼児の生活の**連続性**，6.季節 の**変化**などを考慮して，幼児の興味や関心，発達の実情などに応じて設定すること。

　　イ　7.環境 は，具体的なねらいを達成するために適切なものとなるように構成し，幼児が自らその環境に関わることにより様々な活動を展開しつつ必要な 8.体験 を得られるようにすること。その際，幼児の生活する姿や**発想**を大切にし，常にその**環境**が適切なものとなるようにすること。

　　ウ　幼児の行う具体的な活動は，生活の流れの中で様々に**変化**するものであることに留意し，幼児が望ましい方向に向かって自ら活動を展開していくことができるよう必要な 9.援助 をすること。その際，幼児の実態及び幼児を取り巻く状況の変化などに即して指導の過程についての**評価**を適切に行い，常に指導計画の**改善**を図るものとする。

3．指導計画の作成上の留意事項

(1) 長期的に発達を見通した年，学期，月などにわたる 10.長期 の指導計画やこれとの関連を保ちながらより具体的な幼児の生活に即した週，日などの 11.短期 の指導計画を作成し，適切な指導が行われるようにすること。特に，週，日などの短期の指導計画については，幼児の生活の 12.リズム に配慮し，幼児の意識や興味の 13.連続性 のある活動が相互に関連して幼稚園生活の自然な流れの中に組み込まれるようにすること。

(2) 幼児が様々な人やものとの関わりを通して，多様な体験をし，心身の調和のとれた 14.発達 を促すようにしていくこと。その際，幼児の発達に即して**主体的・対話的で深い学び**が実現するようにするとともに，心を動かされる体験が次の活動を生み出すことを考慮し，一つ一つの 15.体験 が相互に結び付き，幼稚園生活が充実するようにすること。

(3) **言語**に関する能力の発達と 16.思考力 等の発達が関連していることを踏まえ，幼稚園生活全体を通して，幼児の発達を踏まえた 17.言語環境 を整え，18.言語活動 の充実を図ること。

(4) 幼児が次の活動への期待や意欲をもつことができるよう，幼児の 19.実態 を踏まえながら，教師や他の幼児と共に 20.遊び や生活の中で**見通し**をもったり，**振り返っ**たりするよう工夫すること。

(5) 21.行事 の指導に当たっては，幼稚園生活の自然の流れの中で生活に変化や潤いを与え，幼児が**主体的に楽しく活動**できるようにすること。なお，それぞれの行事についてはその 22.教育的価値 を十分検討し，適切なものを**精選**し，幼児の 23.負担 にならないようにすること。

(6) 幼児期は 24.直接的 な**体験**が重要であることを踏まえ，視**聴覚教材**や**コンピュータ**など情報機器を活用する際には，幼稚園生活では得難い体験を 25.補完 するなど，幼児の体験との関連を考慮すること。

➕ **プラスチェック！**

[指導計画の作成上の留意事項(7)(8)]

□教師は，様々な役割を果たし，活動の場面に応じて，適切な指導を行うようにすること。

□幼稚園全体の教師による協力体制を作りながら，一人一人の幼児が興味や欲求を十分に満足させるよう適切な援助を行う。

＊このページで覚えた知識を教師になってどう活かしたい？

＊あ！あれ何だっけ？　確認メモ！

幼稚園教育要領：総則—⑤

4．幼児理解に基づいた評価の実施

幼児一人一人の発達の理解に基づいた評価の実施に当たっては，次の事項に配慮するものとする。

(1)　指導の 1.過程 を振り返りながら幼児の理解を進め，幼児一人一人のよさや可能性などを把握し，指導の 2.改善 に生かすようにすること。その際，他の幼児との 3.比較 や一定の基準に対する 4.達成度 についての評定によって捉えるものではないことに留意すること。

(2)　評価の 5.妥当性 や 6.信頼性 が高められるよう**創意工夫**を行い，組織的かつ計画的な取組を推進するとともに，次年度又は 7.小学校 等にその内容が適切に**引き継がれる**ようにすること。

第5　特別な配慮を必要とする幼児への指導

1．障害のある幼児などへの指導

障害のある幼児などへの指導に当たっては，**集団**の中で生活することを通して全体的な発達を促していくことに配慮し，8.特別支援学校 などの**助言**又は**援助**を活用しつつ，個々の幼児の**障害の状態**などに応じた指導内容や指導方法の工夫を**組織的**かつ**計画的**に行うものとする。また，家庭，地域及び**医療**や**福祉**，**保健**等の業務を行う関係機関との連携を図り，9.長期的 な視点で幼児への教育的支援を行うために，個別の 10.教育支援計画 を作成し活用することに努めるとともに，個々の幼児の実態を的確に把握し，個別の 11.指導計画 を作成し活用することに努めるものとする。

2．**海外から帰国**した幼児や生活に必要な 12.日本語 の習得に困難のある幼児の幼稚園生活への適応

海外から帰国した幼児や生活に必要な**日本語の習得**に困難のある幼児については，安心して 13.自己 を発揮できるよう配慮するなど個々の幼児の実態に応じ，指導内容や指導方法の工夫を組織的かつ計画的に行うものとする。

第6　幼稚園運営上の留意事項

1．各幼稚園においては，14.園長 の方針の下に，15.園務分掌 に基づき教職員が適切に役割を分担しつつ，相互に連携しながら，教育課程や指導の**改善**を図るものとする。また，各幼稚園が行う 16.学校評価 については，教育課程の編成，実施，改善が教育活動や幼稚園運営の中核となることを踏まえ，17.カリキュラム・マネジメント と関連付けながら実施するよう留意するものとする。

2. 幼児の生活は，18.家庭 を基盤として地域社会を通じて次第に**広がり**をもつものであることに留意し，家庭との連携を十分に図るなど，幼稚園における生活が家庭や地域社会と 19.連続性 を保ちつつ展開されるようにするものとする。その際，地域の自然，**高齢者**や異年齢の子供などを含む人材，行事や公共施設などの地域の**資源**を積極的に活用し，幼児が豊かな 20.生活体験 を得られるように工夫するものとする。また，家庭との連携に当たっては，保護者との**情報交換**の機会を設けたり，保護者と幼児との活動の機会を設けたりなどすることを通じて，保護者の幼児期の教育に関する**理解**が深まるよう配慮するものとする。

3. 地域や幼稚園の実態等により，幼稚園間に加え，保育所，幼保連携型認定こども園，小学校，中学校，高等学校及び特別支援学校などとの間の連携や 21.交流 を図るものとする。特に，幼稚園教育と 22.小学校教育 の円滑な接続のため，幼稚園の幼児と小学校の児童との交流の機会を積極的に設けるようにするものとする。また，23.障害 のある幼児児童生徒との交流及び**共同学習**の機会を設け，共に尊重し合いながら 24.協働 して生活していく態度を育むよう努めるものとする。

第7　教育課程に係る教育時間終了後等に行う教育活動など

幼稚園は，第3章に示す教育課程に係る教育時間の終了後等に行う**教育活動**について，学校教育法に規定する目的及び目標並びにこの章の第1に示す幼稚園教育の基本を踏まえ実施するものとする。また，幼稚園の目的の達成に資するため，幼児の 25.生活全体 が豊かなものとなるよう家庭や地域における幼児期の教育の**支援**に努めるものとする。

• second try •					• first try •				
年　月　日（　）					年　月　日（　）				
🕐　：　～　：					🕐　：　～　：				
☀ ☁ ☂（　　）					☀ ☁ ☂（　　）				
✏ am・pm　　℃					✏ am・pm　　℃				
😀 😐 😞 😣 😫					😀 😐 😞 😣 😫				

second try	first try
1.	1.
2.	2.
3.	3.
4.	4.
5.	5.
6.	6.
7.	7.
8.	8.
9.	9.
10.	10.
11.	11.
12.	12.
13.	13.
14.	14.
15.	15.
16.	16.
17.	17.
18.	18.
19.	19.
20.	20.
21.	21.
22.	22.
23.	23.
24.	24.
25.	25.

➕ プラスチェック！

□個別の教育支援計画…2003年度から実施された障害者基本計画で示された個別の支援計画作成についてのうち，幼児等に対して教育機関が中心となって作成するものを個別の教育支援計画という。
□個別の指導計画…個々の幼児の実態に応じて適切な指導を行うために学校で作成されるもの。

＊このページで覚えた知識を教師になってどう活かしたい？

＊あ！あれ何だっけ？　確認メモ！

幼稚園教育要領解説

【教師の役割】

①幼児の主体的な活動と教師の役割

► 幼稚園教育においては，幼児の自発的な活動としての 1. 遊び を中心とした教育を**実践**することが何よりも大切である。**教師**が遊びにどう関わるのか，教師の役割の基本を理解することが必要であり，そのために教師には，幼児の自発的な活動としての遊びを生み出すために必要な 2. 教育環境 を整えることが求められる。

► さらに，教師には，幼児との 3. 信頼関係 を十分に築き，幼児と共によりよい**教育環境**をつくり出していくことも求められている。そのための教師の役割は， 4. 教材 を工夫し，物的・空間的環境を構成する役割と，その環境の下で幼児と適切な 5. 関わり をする役割とがある。

► 幼児の**行動**と内面の**理解**を一層深めるためには，幼児の活動を教師自らの関わり方との関係で 6. 振り返る ことが必要である。幼児と共に 7. 行動 しながら考え，さらに，幼児が帰った後に1日の生活や行動を振り返る。このことが，翌日からの指導の視点を**明確**にし，更に充実した教育活動を展開することにつながるのである。これらのことを日々繰り返すことにより，幼稚園教育に対する 8. 専門性 を高め，自らの能力を向上させていくことができるのである。

②集団生活と教師の役割

► 教師が幼児一人一人を理解し，心の動きに応じることとは，一人一人の幼児の活動を 9. 援助 することや幼児と一対一で関わるようにすることだけを意味するものではない。幼児の主体的な活動は，**友達**との関わりを通してより充実し，豊かなものとなる。そこで，一人一人の思いや活動を**つなぐ**よう環境を構成し， 10. 集団 の中で個人のよさが生かされるように，**幼児同士**が関わり合うことのできる環境を構成していくことが必要である。

► 集団には，同じ**もの**への興味や関心，あるいは同じ**場所**にいたことから関わりが生まれる集団や同じ**目的**をもって活動するために集まる集団もあれば，学級のようにあらかじめ教師が**組織**した集団もあり，それぞれの集団の中で幼児は多様な経験をする。幼児の発達の特性を踏まえ，それぞれの集団の中で，幼児が主体的に活動し多様な 11. 体験 ができるように**援助**していくことが必要である。

► 幼児期は 12. 自我 が芽生える時期であり，友達との間で物をめぐる対立や思いの相違による**葛藤**が起こりやすい。幼児は，それらの経験を通して，相手の気持ちに**気付い**たり自分の思いを相手に分かってもらうために**伝える**ことの大切さを学んだりしていく。また，自分の感情を抑え，相手のことを 13. 思いやる 気持ちも学んでいく。この意味で，友達との 14. 葛藤 が起こることは，幼児の発達にとって大切な学びの機会であるといえる。

➤ここで教師は，幼児一人一人の発達に応じて，相手がどのような気持ちなのか，あるいは自分がどのようにすればよいのかを $\boxed{15.\ 体験}$ を通して考えたり，人として絶対に**してはならないこと**や**言ってはならないこと**があることに気付いたりするように $\boxed{16.\ 援助}$ することが大切である。

➤また，集団の生活には $\boxed{17.\ きまり}$ があることに気付き，そのきまりをなぜ守らなければならないかを体験を通して $\boxed{18.\ 考える機会}$ を与えていくことが重要である。

➤集団における個々の幼児への指導で大切なことは，幼児が単に集団の中で友達と関わっていればそれでよいということではない。重要なのは，幼児一人一人が $\boxed{19.\ 主体的}$ に取り組んでいるかどうかを**見極める**ことである。

➤様々な集団がある中で，学級は幼児にとって $\boxed{20.\ 仲間意識}$ を培う基本となる集団である。教師は一年間を見通して，幼児の様子をよく見ながら，**時期**に応じた学級での**集団づくり**への援助を行っていかなければならない。

➤幼稚園は，異なる**年齢**の幼児が共に生活する場である。年齢の異なる幼児間の関わりは，年下の者への思いやりや**責任感**を培い，また，年上の者の行動への**憧れ**を生み，自分もやってみようとする**意欲**も生まれてくる。このことからも，年齢の異なる幼児が $\boxed{21.\ 交流}$ できるような環境の構成をしていくことも大切である。

③教師間の協力体制

➤幼児一人一人を育てていくためには，教師が協力して一人一人の実情を捉えていくことが大切である。

➤**教師同士**が日頃から連絡を密にすることが必要であり，その結果，幼稚園全体として適切な環境を構成し，$\boxed{22.\ 援助}$ していくことができるのである。

➤日々の $\boxed{23.\ 保育}$ を共に振り返ることで，教師が一人では気付かなかったことや自分とは違う捉え方に触れながら，幼稚園の $\boxed{24.\ 教職員全員}$ で一人一人の幼児を育てるという視点に立つことが重要である。

➤教師同士が各々の違いを尊重しながら協力し合える**開かれた関係**をつくり出していくことが，教師の $\boxed{25.\ 専門性}$ を高め，幼稚園教育を充実するために大切である。

1.
2.
3.
4.
5.
6.
7.
8.
9.
10.
11.
12.
13.
14.
15.
16.
17.
18.
19.
20.
21.
22.
23.
24.
25.

➕ プラスチェック！

□教材を工夫し物的・空間的環境を構成する際に重要なのは，幼児が遊びに没頭し充実感を味わうことである。

□教材研究を通して幼児と教材との関わりについて理解を深め，遊びが展開し充実していくような豊かな教育環境の創造に努めることが必要である。

＊このページで覚えた知識を教師になってどう活かしたい？

＊あ！あれ何だっけ？　確認メモ！

進んで体を動かそうとする意欲を育てることが大切

幼稚園生活では，幼児のもつ生活のリズムに沿いながら，活動と休息，緊張感と解放感，動と静などの調和を図り，活動意欲が十分に満たされるようにすることが大切である。

健康の領域

【幼稚園教育要領】

ねらい

1. 明るく伸び伸びと**行動**し，1.充実感 を味わう。

2. 自分の**体**を十分に動かし，進んで 2.運動 しようとする。

3. 3.健康 ，4.安全 な生活に必要な**習慣や態度**を身に付け，**見通し**をもって行動する。

(1) 内容

① 先生や友達と触れ合い，5.安定感 をもって行動する。

② いろいろな 6.遊び の中で十分に体を動かす。

③ **進んで**戸外で遊ぶ。

④ 様々な活動に親しみ，**楽しんで**取り組む。

⑤ 先生や友達と**食べること**を楽しみ，食べ物への興味や関心をもつ。

⑥ 健康な生活の 7.リズム を身に付ける。

⑦ 身の回りを 8.清潔 にし，衣服の着脱，食事，排泄などの**生活**に必要な活動を自分でする。

⑧ 幼稚園における生活の仕方を知り，自分たちで生活の場を整えながら 9.見通し をもって行動する。

⑨ 自分の**健康**に関心をもち，10.病気 の予防などに必要な活動を進んで行う。

⑩ 危険な場所，危険な遊び方，11.災害 時などの**行動**の仕方が分かり，**安全**に気を付けて行動する。

(2) 内容の取扱い

▶心と体の 12.健康 は，相互に密接な関連があるものであることを踏まえ，幼児が教師や他の幼児との温かい触れ合いの中で自己の**存在感や充実感**を味わうことなどを基盤として，しなやかな心と体の発達を促すこと。特に，十分に 13.体を動かす気持ちよさ を体験し，自ら体を動かそうとする**意欲**が育つようにすること。

▶様々な遊びの中で，幼児が興味や関心，能力に応じて 14.全身 を使って活動することにより，体を動かす**楽しさ**を味わい，自分の体を**大切**にしようとする気持ちが育つようにすること。その際，多様な動きを経験する中で，体の動きを 15.調整 するようにすること。

▶自然の中で伸び伸びと体を動かして遊ぶことにより，体の 16.諸機能 の発達が促されることに留意し，幼児の興味や関心が戸外にも向くようにすること。その際，幼児の 17.動線 に配慮した園庭や遊具の**配置**などを工夫すること。

• second try	• first try
年　月　日（　）	年　月　日（　）
🕐　：　～　：	🕐　：　～　：
☀ ☁ ☂ （　）	☀ ☁ ☂ （　）
🌡 am・pm　　℃	🌡 am・pm　　℃
😀 😐 😣 😖 😫	😀 😐 😣 😖 😫

▶健康な心と体を育てるためには 18. 食育 を通じた望ましい**食習慣**の形成が大切であることを踏まえ，幼児の食生活の実情に配慮し，和やかな雰囲気の中で教師や他の幼児と食べる**喜びや楽しさ**を味わったり，様々な食べ物への興味や関心をもったりするなどし，食の**大切さ**に気付き，進んで**食べようとする気持ち**が育つようにすること。

▶基本的な生活環境の形成に当たっては，**家庭での生活経験**に配慮し，幼児の自立心を育て，幼児が他の幼児と関わりながら主体的な活動を展開する中で，生活に必要な 19. 習慣 を身に付け，次第に見通しをもって行動できるようにすること。

▶安全に関する指導に当たっては， 20. 情緒 の安定を図り，**遊び**を通して安全についての構えを身に付け，**危険な場所や事物**などが分かり，安全についての理解を深めるようにすること。また，**交通安全**の習慣を身に付けるようにするとともに， 21. 避難訓練 などを通して，災害などの**緊急時**に適切な行動がとれるようにすること。

【幼稚園教育要領解説から】

▶生涯を通じて健康で安全な生活を営む基盤は，幼児期に愛情に支えられた 22. 安全 な環境の下で，心と体を十分に働かせて生活することによって培われていくものである。

▶幼稚園においては，一人一人の幼児が教師や他の幼児などとの 23. 温かい触れ合い の中で楽しい生活を展開することや自己を十分に発揮して伸び伸びと行動することを通して**充実感や満足感**を味わうようにすることが大切である。明るく伸び伸びということは，単に行動や言葉などの表面的な活発さを意味するものだけではなく，幼稚園生活の中で**解放感**を感じつつ，**能動的**に環境と関わり，自己を表出しながら生きる喜びを味わうという**内面の充実**をも意味するものであり， 24. 自己充実 に深く関わるものである。

▶自分の体を大切にしたり，身の回りを**清潔で安全**なものにするなどの生活に必要な**習慣や態度**を，幼稚園生活の自然な流れの中で身に付け，次第に生活に必要な行動について，見通しをもって 25. 自立的 に行動していくようにすることも重要なことである。

second try	first try
1.	1.
2.	2.
3.	3.
4.	4.
5.	5.
6.	6.
7.	7.
8.	8.
9.	9.
10.	10.
11.	11.
12.	12.
13.	13.
14.	14.
15.	15.
16.	16.
17.	17.
18.	18.
19.	19.
20.	20.
21.	21.
22.	22.
23.	23.
24.	24.
25.	25.

➕ プラスチェック！

□幼児は様々な遊びを中心として，毎日合計60分以上は楽しく体を動かすことが大切とされる。

□幼児期における運動の意義として，体力・運動能力の向上，健康的な体の育成，意欲的な心の育成，社会適応力の発達，認知的能力の発達，があげられる。

*このページで覚えた知識を教師になってどう活かしたい？

*あ！あれ何だっけ？　確認メモ！

人間関係の領域

【幼稚園教育要領】

ねらい

1. 幼稚園生活を [1. 楽しみ]，**自分の力**で行動することの充実感を味わう。
2. 身近な人と親しみ，関わりを深め，工夫したり，協力したりして**一緒に活動する楽しさ**を味わい，**愛情**や [2. 信頼感] をもつ。
3. [3. 社会生活] における望ましい**習慣や態度**を身に付ける。

(1) 内容

① 先生や友達と共に [4. 過ごす] ことの**喜び**を味わう。

② 自分で**考え**，自分で [5. 行動] する。

③ 自分でできることは自分でする。

④ いろいろな遊びを楽しみながら物事を**やり遂げよう**とする気持ちをもつ。

⑤ **友達**と積極的に関わりながら喜びや悲しみを [6. 共感] し合う。

⑥ 自分の思ったことを相手に伝え，相手の**思っていること**に気付く。

⑦ 友達の**よさ**に気付き，一緒に活動する楽しさを味わう。

⑧ 友達と楽しく活動する中で，共通の**目的**を見いだし，工夫したり，[7. 協力] したりなどする。

⑨ **よいこと**や [8. 悪い] ことがあることに気付き，考えながら行動する。

⑩ 友達との関わりを深め，[9. 思いやり] をもつ。

⑪ 友達と楽しく生活する中で [10. きまり] の大切さに気付き，**守ろう**とする。

⑫ **共同の遊具や用具**を大切にし，皆で使う。

⑬ [11. 高齢者] をはじめ地域の人々などの自分の生活に関係の深いいろいろな人に**親しみ**をもつ。

(2) 内容の取扱い

▶教師との [12. 信頼関係] に支えられて自分自身の生活を確立していくことが人と関わる基盤となることを考慮し，幼児が自ら周囲に働き掛けることにより多様な [13. 感情] を体験し，**試行錯誤**しながら諦めずにやり遂げることの**達成感**や，前向きな見通しをもって自分の力で行うことの**充実感**を味わうことができるよう，幼児の行動を見守りながら適切な [14. 援助] を行うようにすること。

▶一人一人を生かした集団を形成しながら人と関わる力を育てていくようにすること。その際，集団の生活の中で，幼児が自己を発揮し，教師や他の幼児に**認められる体験**をし，自分のよさや特徴に気付き，[15. 自信] をもって行動できるようにすること。

➤幼児が互いに関わりを深め，16. 協同 して遊ぶようになるため，自ら行動する力を育てるようにするとともに，他の幼児と試行錯誤しながら活動を展開する楽しさや共通の目的が実現する喜びを味わうことができるようにすること。

➤道徳性の 17. 芽生え を培うに当たっては，基本的な 18. 生活習慣 の形成を図るとともに，幼児が他の幼児との関わりの中で**他人の存在**に気付き，相手を**尊重**する気持ちをもって行動できるようにし，また，自然や身近な動植物に親しむことなどを通して豊かな 19. 心情 が育つようにすること。特に，人に対する**信頼感**や 20. 思いやり の気持ちは，**葛藤やつまずき**をも体験し，それらを乗り越えることにより次第に芽生えてくることに配慮すること。

➤集団の生活を通して，幼児が人との関わりを深め，21. 規範意識 の芽生えが培われることを考慮し，幼児が教師との信頼関係に支えられて自己を発揮する中で，互いに思いを**主張**し，**折り合い**を付ける 22. 体験 をし，**きまりの必要性**などに気付き，自分の気持ちを**調整する力**が育つようにすること。

➤**高齢者**をはじめ地域の人々などの自分の生活に関係の深いいろいろな人と触れ合い，自分の感情や意志を表現しながら共に楽しみ，**共感し合う**体験を通して，これらの人々などに 23. 親しみ をもち，人と関わることの楽しさや**人の役に立つ喜び**を味わうことができるようにすること。また，生活を通して親や祖父母などの家族の 24. 愛情 に気付き，**家族を大切にしよう**とする気持ちが育つようにすること。

【幼稚園教育要領解説から】

➤人と関わる力の基礎は，自分が保護者や周囲の人々に温かく見守られているという 25. 安定感 から生まれる人に対する信頼感をもつこと，さらに，その信頼感に支えられて自分自身の生活を確立していくことによって培われる。

➤幼稚園生活においては，何よりも教師との**信頼関係**を築くことが必要であり，それを基盤としながら様々なことを**自分の力**で行う充実感や満足感を味わうようにすることが大切である。

• second try •

年 月 日（ ）
🕐 ： 〜 ：
☀ ☁ ☂ （ ）
🌡 am・pm ℃
😀 😐 🙁 😣 😵

• first try •

年 月 日（ ）
🕐 ： 〜 ：
☀ ☁ ☂ （ ）
🌡 am・pm ℃
😀 😐 🙁 😣 😵

second try	first try
1.	1.
2.	2.
3.	3.
4.	4.
5.	5.
6.	6.
7.	7.
8.	8.
9.	9.
10.	10.
11.	11.
12.	12.
13.	13.
14.	14.
15.	15.
16.	16.
17.	17.
18.	18.
19.	19.
20.	20.
21.	21.
22.	22.
23.	23.
24.	24.
25.	25.

➕ プラスチェック！

☐幼児が地域の人たちとの関わりを通し，人間は周囲の人たちと関わり合い，支え合って生きていることを実感することが大切である。

☐日常の保育の中で，地域の人々や障害のある幼児などとの交流の機会を積極的に取り入れることも必要である。

＊このページで覚えた知識を教師になってどう活かしたい？

＊あ！あれ何だっけ？　確認メモ！

幼児は全身で自然を感じ取る体験により多くのことを学んでいる。感動するような体験は，科学的な見方や考え方の芽生えを培う上での基礎ともなる。

環境の領域

【幼稚園教育要領】

ねらい

1. 身近な ［1.環境］ に親しみ，**自然と触れ合う**中で様々な事象に興味や関心をもつ。
2. 身近な環境に自分から関わり，**発見を楽しんだり**，考えたりし，それを ［2.生活］ に取り入れようとする。
3. 身近な事象を見たり，考えたり，扱ったりする中で，物の性質や**数量**，**文字**などに対する ［3.感覚］ を豊かにする。

(1) 内容

① ［4.自然］ に触れて生活し，その**大きさ**，**美しさ**，**不思議さ**などに気付く。
② 生活の中で，様々な物に触れ，その**性質**や**仕組み**に興味や関心をもつ。
③ ［5.季節］ により自然や人間の生活に**変化**のあることに気付く。
④ 自然などの身近な事象に関心をもち，**取り入れて**遊ぶ。
⑤ 身近な**動植物**に親しみをもって接し， ［6.生命］ の尊さに気付き，いたわったり，大切にしたりする。
⑥ 日常生活の中で，我が国や地域社会における様々な**文化**や ［7.伝統］ に親しむ。
⑦ 身近な物を**大切**にする。
⑧ 身近な物や遊具に興味をもって関わり，自分なりに比べたり，関連付けたりしながら考えたり，試したりして ［8.工夫］ して遊ぶ。
⑨ 日常生活の中で ［9.数量］ や**図形**などに関心をもつ。
⑩ 日常生活の中で簡単な ［10.標識］ や文字などに関心をもつ。
⑪ 生活に関係の深い**情報**や**施設**などに興味や関心をもつ。
⑫ 幼稚園内外の行事において ［11.国旗］ に親しむ。

(2) 内容の取扱い

▶幼児が，遊びの中で周囲の環境と関わり，次第に周囲の世界に**好奇心**を抱き，その意味や操作の仕方に関心をもち，物事の**法則性**に気付き，自分なりに考えることができるようになる ［12.過程］ を大切にすること。また，他の幼児の考えなどに触れて**新しい考え**を生み出す喜びや楽しさを味わい，自分の考えを**よりよいもの**にしようとする気持ちが育つようにすること。

▶幼児期において ［13.自然］ のもつ意味は大きく，自然の大きさ，美しさ，不思議さなどに**直接触れる体験**を通して，幼児の心が安らぎ，豊かな感情，好奇心，思考力，表現力の**基礎**が培われることを踏まえ，幼児が自然との関わりを ［14.深める］ ことができるよう工夫すること。

・second try・　　　　・first try・

| 年　月　日（　）| 年　月　日（　）|

🕐 ：　～　：　　　🕐 ：　～　：
☀ ☁ ☂（　）　　　☀ ☁ ☂（　）
🌡 am・pm　　℃　　🌡 am・pm　　℃
😀 😐 😣 😫 😵　　😀 😐 😣 😫 😵

▶身近な事象や 15.動植物 に対する**感動**を伝え合い，共感し合うことなどを通して自分から関わろうとする意欲を育てるとともに，様々な関わり方を通してそれらに対する**親しみ**や**畏敬の念**，16.生命 を大切にする気持ち，**公共心**，**探究心**などが養われるようにすること。

▶文化や伝統に親しむ際には，正月や節句など我が国の伝統的な**行事**，17.国歌，唱歌，わらべうたや我が国の伝統的な遊びに親しんだり，**異なる文化**に触れる活動に親しんだりすることを通じて，社会とのつながりの意識や**国際理解**の意識の 18.芽生え などが養われるようにすること。

▶数量や 19.文字 などに関しては，日常生活の中で幼児自身の必要感に基づく**体験**を大切にし，数量や文字などに関する興味や関心，感覚が養われるようにすること。

【幼稚園教育要領解説から】

▶幼児の周囲には，園内や園外に様々なものがある。人は暮らしを営み，また，動植物が生きていて，遊具などの日々の遊びや生活に必要な物が身近に置かれている。幼児はこれらの**環境**に好奇心や探究心をもって 20.主体的 に関わり，自分の遊びや 21.生活 に取り入れていくことを通して発達していく。

▶このため，教師は，幼児がこれらの環境に関わり，豊かな体験ができるよう，22.意図的，**計画的**に環境を**構成**することが大切である。

▶幼児にとっての生活である遊びとのつながりの中で，23.環境 の一つ一つが幼児にとってもつ意味が広がる。したがって，まず何より環境に対して，**親しみ**，**興味**をもって 24.積極的 に関わるようになることが大切である。

▶さらに，ただ単に環境の中にあるものを利用するだけではなく，そこで**気付いたり**，25.発見 したりしようとする環境に**関わる態度**を育てることが大切である。幼児は，気付いたり，発見したりすることを面白く思い，別なところでも活用しようとするのである。

➕ プラスチェック！

□幼児期における数量や文字に関する指導は，幼児が興味や関心を十分に広げ，数量や文字に関わる感覚を豊かにできるようにすることである。

□そのような感覚が，小学校における数量や文字の学習にとって，生きた基盤となる。

□確実に数えられたりすることを目指すものではない。

＊このページで覚えた知識を教師になってどう活かしたい？

＊あ！あれ何だっけ？　確認メモ！

言葉の領域

【幼稚園教育要領】

ねらい

1. 自分の**気持ち**を 1.言葉 で表現する楽しさを味わう。
2. 人の言葉や話などをよく聞き，自分の経験したことや考えたことを話し， 2.伝え合う 喜びを味わう。
3. 日常生活に必要な言葉が分かるようになるとともに， 3.絵本 や物語などに親しみ，言葉に対する**感覚**を豊かにし，先生や友達と 4.心 を通わせる。

(1) 内容

① 先生や友達の言葉や 5.話 に興味や関心をもち，親しみをもって聞いたり，話したりする。

② **したり，見たり，聞いたり，感じたり，考えたり**などしたことを自分なりに 6.言葉 で表現する。

③ したいこと，してほしいことを言葉で表現したり，分からないことを**尋ね**たりする。

④ 人の話を注意して聞き，相手に**分かる**ように話す。

⑤ 生活の中で**必要な**言葉が分かり， 7.使う 。

⑥ 親しみをもって日常の 8.挨拶 をする。

⑦ 生活の中で言葉の**楽しさや美しさ**に気付く。

⑧ いろいろな体験を通じて 9.イメージ や言葉を**豊か**にする。

⑨ 絵本や物語などに親しみ，興味をもって聞き， 10.想像 をする楽しさを味わう。

⑩ 日常生活の中で， 11.文字 などで**伝える楽しさ**を味わう。

(2) 内容の取扱い

▶言葉は，身近な人に親しみをもって接し，自分の感情や意志などを 12.伝え ，それに相手が応答し，その言葉を聞くことを通して次第に 13.獲得 されていくものであることを考慮して，幼児が教師や他の幼児と関わることにより心を動かされるような体験をし，言葉を交わす 14.喜び を味わえるようにすること。

▶幼児が自分の思いを言葉で伝えるとともに，教師や他の幼児などの 15.話 を興味をもって注意して聞くことを通して次第に話を**理解**するようになっていき，言葉による 16.伝え合い ができるようにすること。

▶絵本や物語などで，その内容と自分の 17.経験 とを結び付けたり，**想像**を巡らせたりするなど，楽しみを十分に味わうことによって，次第に豊かな**イメージ**をもち，言葉に対する**感覚**が養われるようにすること。

▶幼児が生活の中で，言葉の**響きやリズム**，**新しい言葉や表現**などに触れ，これらを使う楽しさを味わえるようにすること。その際，**絵本や物語**に親しんだり， 18.言葉遊び などをしたりすることを通して，言葉が豊かになるようにすること。

➤幼児が日常生活の中で，[19. 文字] などを使いながら**思ったこと**や**考えたこと**を伝える喜びや楽しさを味わい，文字に対する興味や関心をもつようにすること。

【幼稚園教育要領解説から】

➤言葉は，身近な人との関わりを通して次第に獲得されるものである。人との関わりでは，見つめ合ったり，うなずいたり，微笑んだりなど，[20. 言葉以外] のものも大切である。

➤幼児は気持ちを自分なりの言葉で表現したとき，それに相手がうなずいたり，言葉で応答してもらうと楽しくなり，もっと話そうとする。教師は，幼児が [21. 言葉で伝えたくなる] ような経験を重ね，その経験したことや考えたことを自分なりに**話すこと**，また友達や教師の話を**聞く**ことなどを通じ，言葉を使って表現する**意欲**や，相手の言葉を**聞こう**とする態度を育てることが大切である。

➤また，幼児のものの**見方**や**考え方**も，そのように言葉によって伝え合う中で確かなものになっていく。

➤幼児は，幼稚園生活の中で心を動かされる体験を通して，様々な思いをもつ。この思いが高まると，幼児は，その気持ちを思わず口に出したり，親しい相手に気持ちを伝え，[22. 共感] してもらうと**喜び**を感じるようになる。このような体験を通じて，自分の気持ちを表現する楽しさを味わうことが大切である。

➤また，幼児は，自分の話を聞いてもらうことにより，自分も人の話をよく聞こうとする気持ちになる。人の話を聞き，自分の経験したことや考えたことを話す中で，**相互に伝え合う喜び**を味わうようになることが大切である。

➤幼児は，教師や友達と一緒に行動したりやり取りしたりすることを通して，次第に [23. 日常生活] に必要な言葉が分かるようになっていく。

➤また，幼児が絵本を見たり，物語を聞いたりして楽しみ，言葉の楽しさや美しさに気付いたり，想像上の世界や未知の世界に出会い，様々な思いを巡らし，その思いなどを教師や友達と [24. 共有] したりすることが大切である。

➤このような経験は，言葉に対する感覚を養い，[25. 状況] に応じた**適切**な言葉の表現を使うことができるようになる上でも重要である。

• second try •　　　• first try •

年　月　日（　）	年　月　日（　）
🕐　：　～　：	🕐　：　～　：
☀ ☁ ☂ （　　）	☀ ☁ ☂ （　　）
✏ am・pm　　℃	✏ am・pm　　℃
😊 😐 ☹ 😣 😩	😊 😐 ☹ 😣 😩

1.	1.
2.	2.
3.	3.
4.	4.
5.	5.
6.	6.
7.	7.
8.	8.
9.	9.
10.	10.
11.	11.
12.	12.
13.	13.
14.	14.
15.	15.
16.	16.
17.	17.
18.	18.
19.	19.
20.	20.
21.	21.
22.	22.
23.	23.
24.	24.
25.	25.

✚ プラスチェック！

□ 幼児を取り巻く生活の中では，様々な形の記号が使われており，文字もその中の一つとして身近なところに存在している。

□ 小学校以降においては，一人一人の児童の文字に対する興味や関心，出会いを基盤にし，文字に関する系統的な指導が適切に行われる。

＊このページで覚えた知識を教師になってどう活かしたい？

＊あ！あれ何だっけ？　確認メモ！

豊かな感性を養うには魅力ある豊かな環境の構成を

教師自身にも，幼稚園生活の様々な場面で幼児が心を動かされている出来事に，共に感動できる感性が求められる。幼児と感動を共有することが大切である。

表現の領域

【幼稚園教育要領】

ねらい

1. いろいろなものの美しさなどに対する豊かな 1.感性 をもつ。

2. 感じたことや考えたことを自分なりに 2.表現 して楽しむ。

3. 生活の中で 3.イメージ を豊かにし，様々な表現を楽しむ。

(1) 内容

① 生活の中で様々な**音，形，色，手触り，動き**などに気付いたり，感じたりするなどして楽しむ。

② 生活の中で美しいものや 4.心を動かす出来事 に触れ，イメージを豊かにする。

③ 様々な出来事の中で， 5.感動 したことを**伝え合う楽しさ**を味わう。

④ 感じたこと，考えたことなどを音や動きなどで 6.表現 したり，自由にかいたり，つくったりなどする。

⑤ いろいろな 7.素材 に親しみ， 8.工夫 して遊ぶ。

⑥ 9.音楽 に親しみ，歌を歌ったり，簡単なリズム楽器を使ったりなどする楽しさを味わう。

⑦ かいたり，つくったりすることを楽しみ，遊びに使ったり，飾ったりなどする。

⑧ 自分の**イメージ**を 10.動き や**言葉**などで表現したり，**演じて遊んだり**するなどの楽しさを味わう。

(2) 内容の取扱い

▶豊かな 11.感性 は，身近な**環境**と十分に関わる中で美しいもの，優れたもの，心を動かす出来事などに出会い，そこから得た 12.感動 を他の幼児や教師と 13.共有 し，様々に表現することなどを通して養われるようにすること。その際，風の音や雨の音，身近にある草や花の形や色など 14.自然 の中にある音，形，色などに 15.気付く ようにすること。

▶幼児の 16.自己表現 は素朴な形で行われることが多いので，教師はそのような表現を**受容**し，幼児自身の表現しようとする 17.意欲 を受け止めて，幼児が生活の中で幼児らしい様々な表現を楽しむことができるようにすること。

▶**生活経験**や**発達**に応じ，自ら様々な表現を楽しみ，表現する意欲を十分に発揮させることができるように， 18.遊具 や用具などを整えたり，様々な**素材**や**表現の仕方**に親しんだり，他の幼児の表現に触れられるよう配慮したりし，表現する 19.過程 を大切にして自己表現を楽しめるように工夫すること。

【幼稚園教育要領解説から】

► 幼児は，毎日の生活の中で，身近な周囲の環境と関わりながら，そこに限りない**不思議さ**や**面白さ**などを見付け， 20.美しさ や**優しさ**などを感じ，心を動かしている。そのような心の動きを自分の声や体の動き，あるいは素材となるものなどを仲立ちにして表現する。

► 幼児は，これらを通して，感じること，考えること，イメージを広げることなどの経験を重ね，**感性**と**表現する力**を養い， 21.創造性 を豊かにしていく。さらに，**自分の存在**を実感し，**充実感**を得て，**安定した気分**で生活を楽しむことができるようになる。

► 幼児の自己表現は，極めて**直接的**で 22.素朴 な形で行われることが多い。自分の表現が他者に対してどのように受け止められるかを予測しないで表現することもある。あるいは，表す内容が，他者には理解しにくく，教師の 23.推察 や手助けで友達に伝わったりする場合もあるが，そのような場合にも幼児は，自分の気持ちを表したり，他者に伝えたりすることによって，満足していることが多い。

► 豊かな感性や自己を表現する**意欲**は，幼児期に自然や人々など身近な環境と関わる中で，自分の感情や体験を自分なりに表現する充実感を味わうことによって育てられる。

► したがって，幼稚園においては，日常生活の中で出会う様々な事物や事象，**文化**から感じ取るものやそのときの気持ちを友達や教師と共有し， 24.表現し合う ことを通して，豊かな感性を養うようにすることが大切である。

► また，そのような心の動きを，やがては，それぞれの素材や表現の手段の特性を生かした方法で表現できるようにすること，あるいは，それらの素材や方法を工夫して活用することができるようにすること，自分の好きな表現の方法を 25.見付け出す ことができるようにすることが大切である。

➕ プラスチェック！

□ どのようなものを幼児の周りに配置するかは，多様な見立てや豊かなイメージを引き出すことと密接な関わりをもつ。

□ 多様なイメージを引き出す道具や用具や素材を工夫し，幼児が日常的に触れていく環境の工夫が大切である。

＊このページで覚えた知識を教師になってどう活かしたい？

＊あ！あれ何だっけ？　確認メモ！

教育を受ける権利，教育を受けさせる義務

世界人権宣言や児童の権利に関する条約など世界的に子供は保護され，教育を受ける機会が保障されている。日本においては，憲法第26条は教育法規の根本となる重要な条文といえる。

教育権・学習権

[日本国憲法 第26条]

①すべて国民は，法律の定めるところにより，その能力に応じて，
ひとしく 1. 教育 を受ける 2. 権利 を有する。
②すべて国民は，法律の定めるところにより，
その保護する子女に普通教育を受けさせる 3. 義務 を負う。義務教育は，これを無償とする。

[教育基本法 第5条①]

国民は，その保護する子に，別に法律で定めるところにより，
4. 普通教育 を受けさせる 5. 義務 を負う。

[民法 第820条]

6. 親権 を行う者は，子の利益のために子の監護及び教育をする権利を有し，義務を負う。

[児童福祉法 第2条①]

全て国民は，児童が良好な環境において生まれ，かつ，社会のあらゆる分野において，児童の年齢及び発達の程度に応じて，その意見が尊重され，その最善の利益が優先して考慮され，心身ともに健やかに 7. 育成 されるよう努めなければならない。

[こども基本法 第3条第1号]

全てのこどもについて，個人として尊重され，その基本的人権が保障されるとともに，差別的取扱いを受けることがないようにすること。

[世界人権宣言]

8. すべて 人は，
教育を受ける権利を有する
　…人権に関する世界宣言第26条①

[児童権利宣言 第7条]

9. 児童 は，
教育を受ける権利を有する。

[国際人権規約]

この規約の締結国は，
10. 教育 についての
すべての者の権利を認める。
　…経済的，社会的及び文化的権利に関する国際
　規約（A規約）第13条①

【第4回ユネスコ国際成人教育会議宣言】(1985年3月29日)

　 11.学習権 とは,

読み, 書きの権利であり,

疑問をもち, じっくりと考える権利であり,

想像し, 創造する権利であり,

自分自身の世界を読み取り, 歴史を書き綴る権利であり,

12.教育 の諸条件を得る権利であり,

個人および集団の力量を発達させる権利である。

【児童の権利に関する条約 第28条】

➤教育についての権利

1　締約国は, 教育についての児童の権利を認めるものとし, この権利を漸進的にかつ機会の平等を基礎として達成するため, 特に,

(a)　 13.初等教育 を義務的なものとし, すべての者に対して 14.無償 のものとする。

(b)　種々の形態の 15.中等教育 （一般教育及び職業教育を含む。）の発展を奨励し, すべての児童に対し, これらの中等教育が利用可能であり, かつ, これらを利用する機会が与えられるものとし, 例えば, 無償教育の導入, 必要な場合における財政的援助の提供のような適当な措置をとる。

(c)　すべての適当な方法により, 能力に応じ, すべての者に対して 16.高等教育 を利用する機会が与えられるものとする。

(d)　すべての児童に対し, 教育及び職業に関する情報及び指導が利用可能であり, かつ, これらを利用する機会が与えられるものとする。

(e)　定期的な登校及び中途退学率の減少を奨励するための措置をとる。

2　締約国は, 学校の規律が児童の人間の 17.尊厳 に適合する方法で及びこの条約に従って運用されることを確保するためのすべての適当な措置をとる。

• second try •	• first try •
年　月　日（　）	年　月　日（　）
🕐　：　〜　：	🕐　：　〜　：
☀ ☁ ☂ （　　）	☀ ☁ ☂ （　　）
🌡 am・pm　　℃	🌡 am・pm　　℃
😀 😐 😣 😖 😫	😀 😐 😣 😖 😫

1.	1.
2.	2.
3.	3.
4.	4.
5.	5.
6.	6.
7.	7.
8.	8.
9.	9.
10.	10.
11.	11.
12.	12.
13.	13.
14.	14.
15.	15.
16.	16.
17.	17.
18.	18.
19.	19.
20.	20.
21.	21.
22.	22.
23.	23.
24.	24.
25.	25.

➕ プラスチェック！

[教育法規の体系例]

日本国憲法第26条　　　　条約

教育基本法　→　学校教育法等

学校教育法施行規則　←　学校教育法施行令

*このページで覚えた知識を教師になってどう活かしたい？

*あ！あれ何だっけ？　確認メモ！

2006年，教育基本法は半世紀以上ぶりに改正

「学問の自由は，これを保障する（第23条）」などの教育に関わる日本国憲法，教育基本法の
条文は頻出である。教育の目的・目標をはじめ確実に覚えておこう。

日本国憲法，教育基本法―①

▶日本国憲法における国民の権利および義務に関する条文

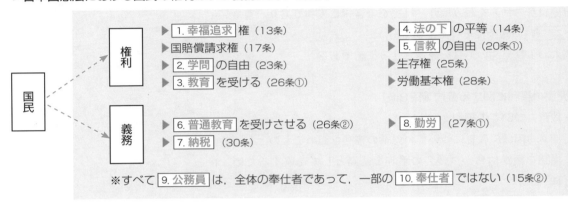

▶教育基本法の構成

	前文		
教育基本法の構成	第1章	教育の目的 及び理念	第1条／教育の目的　第2条／教育の目標　第3条／生涯学習の理念　第4条／教育の機会均等
	第2章	教育の実施に 関する基本	第5条／義務教育　　第6条／学校教育　　第7条／大学　　　　　第8条／私立学校 第9条／教員　　　第10条／家庭教育　　第11条／幼児期の教育　第12条／社会教育 第13条／学校，家庭及び地域住民等の相互の連携協力　第14条／政治教育　第15条／宗教教育
	第3章	教育行政	第16条／教育行政　第17条／教育振興基本計画
	第4章	法令の制定	第18条／法令の制定
	附則		

【日本国憲法】

▶第11条

　国民は，すべての 11.基本的人権 の享有を妨げられない。この憲法が国民に**保障**する基本的人権は，侵すことのできない永久の権利として，現在及び将来の国民に与えられる。

▶第13条

　すべて国民は， 12.個人 として**尊重**される。生命，自由及び幸福追求に対する国民の権利については， 13.公共の福祉 に反しない限り，立法その他の国政の上で，最大の尊重を必要とする。

▶第14条①

　すべて国民は， 14.法の下 に平等であって，人種，信条，性別，社会的身分又は門地により，政治的，経済的又は社会的関係において， 15.差別 されない。

▶第26条

①すべて国民は，法律の定めるところにより，その 16.能力 に応じて，ひとしく 17.教育 を受ける権利を有する。

②すべて国民は，法律の定めるところにより，その保護する子女に 18.普通教育 を受けさせる義務を負う。**義務教育**は，これを 19.無償 とする。

【教育基本法】

▶教育の目的 第1条

　教育は， 20.人格 の完成を目指し，平和で民主的な国家及び社会の形成者として必要な資質を備えた心身ともに 21.健康 な国民の育成を期して行われなければならない。

▶教育の目標 第2条

　教育は，その目的を実現するため， 22.学問 の自由を尊重しつつ，次に掲げる目標を達成するよう行われるものとする。

１．幅広い**知識**と**教養**を身に付け，**真理**を求める態度を養い，豊かな**情操**と道徳心を培うとともに，**健やかな身体**を養うこと。

２．個人の**価値**を尊重して，その能力を伸ばし，**創造性**を培い，**自主**及び**自律**の精神を養うとともに，**職業**及び**生活**との関連を重視し，**勤労**を重んずる態度を養うこと。

３．**正義**と**責任**，**男女の平等**，自他の**敬愛**と**協力**を重んずるとともに，**公共の精神**に基づき，**主体的**に社会の形成に参画し，その**発展**に寄与する態度を養うこと。

４．**生命**を尊び，**自然**を大切にし，**環境**の保全に寄与する態度を養うこと。

５．**伝統**と**文化**を尊重し，それらをはぐくんできた我が国と**郷土**を**愛する**とともに，**他国**を尊重し，国際社会の**平和**と**発展**に寄与する態度を養うこと。

▶生涯学習の理念 第3条

　国民一人一人が，自己の人格を磨き，豊かな人生を送ることができるよう，その生涯にわたって，あらゆる 23.機会 に，あらゆる 24.場所 において学習することができ，その成果を適切に 25.生かす ことのできる社会の実現が図られなければならない。

• second try •

年　月　日（　）
🕐　　：　　〜　　：
☀ ☁ ☂（　　）
✏ am・pm　　　℃
😀 😐 😣 😫 😩

1.
2.
3.
4.
5.
6.
7.
8.
9.
10.
11.
12.
13.
14.
15.
16.
17.
18.
19.
20.
21.
22.
23.
24.
25.

• first try •

年　月　日（　）
🕐　　：　　〜　　：
☀ ☁ ☂（　　）
✏ am・pm　　　℃
😀 😐 😣 😫 😩

1.
2.
3.
4.
5.
6.
7.
8.
9.
10.
11.
12.
13.
14.
15.
16.
17.
18.
19.
20.
21.
22.
23.
24.
25.

➕ プラスチェック！

［教育基本法：前文（抜粋）］

☐我々は，（略），個人の尊厳を重んじ，真理と正義を希求し，公共の精神を尊び，豊かな人間性と創造性を備えた人間の育成を期するとともに，伝統を継承し，新しい文化の創造を目指す教育を推進する。

＊このページで覚えた知識を教師になってどう活かしたい？

＊あ！あれ何だっけ？　確認メモ！

日本国憲法, 教育基本法—②

【教育基本法】

▶教育の機会均等 第4条

①すべて国民は，1. ひとしく，その 2. 能力 に応じた**教育を受ける機会**を与えられなければならず，人種，信条，性別，社会的身分，経済的地位又は門地によって，3. 教育 上差別されない。

②国及び地方公共団体は，4. 障害 のある者が，その**障害の状態**に応じ，十分な教育を受けられるよう，教育上必要な 5. 支援 を講じなければならない。

③国及び地方公共団体は，能力があるにもかかわらず，**経済的理由**によって修学が困難な者に対して，6. 奨学 の措置を講じなければならない。

▶義務教育 第5条

①国民は，その保護する子に，別に法律で定めるところにより，7. 普通教育 を受けさせる**義務**を負う。

②8. 義務教育 として行われる普通教育は，各個人の有する能力を伸ばしつつ社会において 9. 自立的 に生きる基礎を培い，また，国家及び社会の形成者として必要とされる**基本的な資質**を養うことを目的として行われるものとする。

③国及び地方公共団体は，義務教育の機会を 10. 保障 し，その**水準**を確保するため，適切な役割分担及び相互の協力の下，その**実施**に責任を負う。

④国又は地方公共団体の設置する学校における義務教育については，11. 授業料 を徴収しない。

▶学校教育 第6条

①法律に定める学校は，12. 公 の性質を有するものであって，国，地方公共団体及び法律に定める 13. 法人 のみが，これを**設置**することができる。

②前項の学校においては，教育の目標が達成されるよう，教育を受ける者の心身の発達に応じて，体系的な教育が**組織的**に行われなければならない。この場合において，教育を受ける者が，学校生活を営む上で必要な 14. 規律 を重んずるとともに，自ら進んで学習に取り組む**意欲**を高めることを重視して行われなければならない。

▶教員 第9条

①法律に定める学校の教員は，自己の崇高な 15. 使命 を深く自覚し，絶えず 16. 研究と修養 に励み，その**職責の遂行**に努めなければならない。

②前項の教員については，その 17. 使命と職責 の重要性にかんがみ，その身分は**尊重**され，待遇の**適正**が期せられるとともに，**養成と研修の充実**が図られなければならない。

▶家庭教育　　　　　　　　　　　　　　　　……第10条

①父母その他の保護者は，子の教育について 18.第一義的責任 を有するものであって，生活のために必要な習慣を身に付けさせるとともに， 19.自立心 を育成し，心身の**調和**のとれた発達を図るよう努めるものとする。

②国及び地方公共団体は，家庭教育の**自主性**を尊重しつつ， 20.保護者 に対する学習の機会及び情報の提供その他の家庭教育を**支援**するために必要な施策を講ずるよう努めなければならない。

▶幼児期の教育　　　　　　　　　　　　　　　……第11条

幼児期の教育は，生涯にわたる 21.人格形成 の基礎を培う重要なものであることにかんがみ，国及び地方公共団体は，幼児の健やかな成長に資する良好な**環境の整備**その他適当な方法によって，その**振興**に努めなければならない。

▶社会教育　　　　　　　　　　　　　　　　……第12条

①個人の要望や社会の要請にこたえ，社会において行われる教育は，国及び地方公共団体によって 22.奨励 されなければならない。

②国及び地方公共団体は，図書館，博物館，公民館その他の社会教育施設の設置，学校の施設の利用，学習の機会及び情報の提供その他の適当な方法によって 23.社会教育 の**振興**に努めなければならない。

▶学校，家庭及び地域住民等の相互の連携協力　……第13条

学校，家庭及び地域住民その他の関係者は，教育におけるそれぞれの役割と責任を自覚するとともに，相互の**連携**及び**協力**に努めるものとする。

▶政治教育　　　　　　　　　　　　　　　　……第14条

①良識ある公民として必要な 24.政治的教養 は，**教育上尊重**されなければならない。

②法律に定める学校は，特定の 25.政党 を支持し，又はこれに反対するための政治教育その他政治的活動をしてはならない。

▶宗教教育　　　　　　　　　　　　　　　　……第15条

①宗教に関する寛容の態度，宗教に関する一般的な教養及び宗教の社会生活における地位は，**教育上尊重**されなければならない。

• second try •

年　月　日（　）
🕐　：　～　：
☀ ☁ ☂（　　　）
✏ am・pm　　℃
😀 😐 😟 😣 😫

1.
2.
3.
4.
5.
6.
7.
8.
9.
10.
11.
12.
13.
14.
15.
16.
17.
18.
19.
20.
21.
22.
23.
24.
25.

• first try •

年　月　日（　）
🕐　：　～　：
☀ ☁ ☂（　　　）
✏ am・pm　　℃
😀 😐 😟 😣 😫

1.
2.
3.
4.
5.
6.
7.
8.
9.
10.
11.
12.
13.
14.
15.
16.
17.
18.
19.
20.
21.
22.
23.
24.
25.

➕ プラスチェック！

□国及び地方公共団体が設置する学校は，特定の宗教のための宗教教育その他宗教的活動をしてはならない。…教基法第15条②

□私立の小・中学校の教育課程編成の際には宗教をもって特別の教科である道徳に代えることができる。…学校法施規第50条②・79条

＊このページで覚えた知識を教師になってどう活かしたい？

＊あ！あれ何だっけ？　確認メモ！

教育目標のキーワードは「芽生え」

幼稚園の教育目標においては，規範意識，思考力や表現力の「芽生え」が規定されている。小学校の教育目標は「養う」であることから，幼児児童の発達の過程とも捉えることができる。

幼稚園の目的・目標・基本事項

―――――――――――― 幼稚園教育の目的・目標 ――――――――――――

■教育の目的

　幼稚園は，[1. 義務教育]及びその後の教育の[2. 基礎]を培うものとして，幼児を[3. 保育]し，幼児の健やかな成長のために適当な[4. 環境]を与えて，その心身の発達を[5. 助長]することを目的とする。　　　　　　　　　　　　　　……学校教育法第22条

↓

■教育の目標

　幼稚園における教育は，前条に規定する目的を実現するため，次に掲げる目標を達成するよう行われるものとする。

1　**健康，安全**で幸福な生活のために必要な基本的な[6. 習慣]を養い，身体諸機能の[7. 調和的発達]を図ること。

2　[8. 集団生活]を通じて，喜んでこれに**参加**する態度を養うとともに家族や身近な人への**信頼感**を深め，**自主，自律**及び[9. 協同]の精神並びに[10. 規範意識]の芽生えを養うこと。

3　身近な社会生活，生命及び自然に対する**興味**を養い，それらに対する正しい理解と態度及び[11. 思考力]の芽生えを養うこと。

4　日常の会話や，絵本，童話等に親しむことを通じて，[12. 言葉]の使い方を正しく導くとともに，相手の話を**理解**しようとする態度を養うこと。

5　音楽，身体による表現，造形等に親しむことを通じて，豊かな**感性**と[13. 表現力]の芽生えを養うこと。　　　　　　　　　　　　　　　　　　……学校教育法第23条

▶家庭・地域への教育の支援 ······学校教育法第24条

幼稚園においては，第22条に規定する目的を実現するための教育を行うほか，幼児期の教育に関する各般の問題につき，保護者及び地域住民その他の関係者からの 14. 相談 に応じ，必要な 15. 情報 の提供及び助言を行うなど，家庭及び地域における幼児期の教育の 16. 支援 に努めるものとする。

▶教育課程等の保育内容 ···学校教育法第25条①

幼稚園の教育課程その他の保育内容に関する事項は，第22条及び第23条の規定に従い， 17. 文部科学大臣 が定める。

▶入園資格 ···学校教育法第26条

幼稚園に入園することのできる者は，満 18. 3 歳から，**小学校就学**の始期に達するまでの幼児とする。

▶幼稚園職員の配置と職務 ······学校教育法第27条(抜粋)

①幼稚園には，園長，教頭及び 19. 教諭 を置かなければならない。

②幼稚園には，前項に規定するもののほか，副園長，主幹教諭，指導教諭， 20. 養護教諭 ，栄養教諭，事務職員，養護助教諭その他必要な職員を置くことができる。

③①の規定にかかわらず，副園長を置くときその他特別の事情のあるときは， 21. 教頭 を置かないことができる。

④ 22. 園長 は，**園務**をつかさどり，所属職員を**監督**する。

⑤ 23. 副園長 は，園長を助け，**命**を受けて園務をつかさどる。

⑥ 24. 教頭 は，園長（副園長を置く幼稚園にあっては，園長及び副園長）を助け，園務を整理し，及び必要に応じ幼児の**保育**をつかさどる。

⑨ 25. 教諭 は，幼児の**保育**をつかさどる。

• second try •

年 月 日( )
🕐 ： ～ ：
☀ ☁ ☂ ( )
✎ am・pm ℃
😀 😐 ☹ 😣 😫

1.
2.
3.
4.
5.
6.
7.
8.
9.
10.
11.
12.
13.
14.
15.
16.
17.
18.
19.
20.
21.
22.
23.
24.
25.

• first try •

年 月 日( )
🕐 ： ～ ：
☀ ☁ ☂ ( )
✎ am・pm ℃
😀 😐 ☹ 😣 😫

1.
2.
3.
4.
5.
6.
7.
8.
9.
10.
11.
12.
13.
14.
15.
16.
17.
18.
19.
20.
21.
22.
23.
24.
25.

➕ プラスチェック！

[入園当初の配慮]

□自我の芽生え始める時期であり，家庭での生活経験など個人差が大きい時期という発達の特性を踏まえ，一人一人に応じたきめ細かな指導が必要である。

□一人一人の生活のしかたやリズムへの配慮。

□行動時の安全についての十分な配慮。

＊このページで覚えた知識を教師になってどう活かしたい？

＊あ！あれ何だっけ？　確認メモ！

幼稚園設置基準

―― 設置基準関連法規 ――

> 幼稚園の設備，編制その他設置に関する事項は，この章に定めるもののほか，幼稚園設置基準の定めるところによる。……学校教育法施行規則第36条

【総則〈第1章〉】

▶幼稚園設置基準は，学校教育法施行規則に定めるもののほか，この省令の定めるところによる。

……第1条

▶この省令で定める設置基準は，幼稚園を設置するのに必要な 1. 最低 の基準を示すものであるから，幼稚園の 2. 設置者 は，幼稚園の水準の**向上**を図ることに努めなければならない。 ……第2条

【編制〈第2章〉】

▶1学級の幼児数は， 3. 35 人以下を原則とする。 ……第3条

▶学級は，学年の初めの日の 4. 前日 において 5. 同じ年齢 にある幼児で編制することを原則とする。

……第4条

▶幼稚園には，園長のほか，各学級ごとに少なくとも専任の主幹教諭，指導教諭又は**教諭**（「教諭等」）を 6. 1 人置かなければならない。 ……第5条①

▶特別の事情があるときは，教諭等は，専任の副園長又は教頭が兼ね，又は当該幼稚園の学級数の 7. 3分の1 の範囲内で，専任の助教諭若しくは 8. 講師 をもって代えることができる。 ……第5条②

▶専任でない 9. 園長 を置く幼稚園にあっては，前2項の規定により置く主幹教諭，指導教諭，教諭，助教諭又は講師のほか，副園長，教頭，主幹教諭，指導教諭，教諭，助教諭又は講師を1人置くことを原則とする。 ……第5条③

▶幼稚園に置く教員等は，教育上必要と認められる場合は，他の 10. 学校 の教員等と**兼ねる**ことができる。 ……第5条④

▶幼稚園には，養護をつかさどる主幹教諭， 11. 養護教諭 又は 12. 養護助教諭 及び事務職員を置くように努めなければならない。 ……第6条

【施設及び設備〈第3章〉】 (抜粋)

➤ 幼稚園の**位置**は，幼児の教育上適切で，通園の際 13. 安全 な環境にこれを定めなければならない。 ……第7条①

➤ 幼稚園の**施設**及び**設備**は，指導上， 14. 保健衛生 上，安全上及び管理上適切なものでなければならない。 ……第7条②

➤ 園舎は， 15. 2 階建以下を原則とする。園舎を2階建とする場合及び特別の事情があるため園舎を3階建以上とする場合にあっては， 16. 保育室 ，遊戯室及び便所の施設は，第1階に置かなければならない。(略) ……第8条①

➤ **園舎**及び**運動場**は， 17. 同一 の敷地内又は隣接する位置に設けることを原則とする。 ……第8条②

➤ 幼稚園には，次の施設及び設備を備えなければならない。ただし，特別の事情があるときは， 18. 保育室 と 19. 遊戯室 及び**職員室**と**保健室**とは，それぞれ兼用することができる。

1 職員室 2 保育室 3 遊戯室
4 保健室 5 便所
6 飲料水用設備，手洗用設備，足洗用設備 ……第9条①

➤ 保育室の数は， 20. 学級数 を下ってはならない。 ……第9条②

➤ 21. 飲料水用設備 は，手洗用設備又は足洗用設備と**区別**して備えなければならない。 ……第9条③

➤ 飲料水の水質は，衛生上**無害**であることが証明されたものでなければならない。 ……第9条④

➤ 幼稚園には，学級数及び幼児数に応じ，教育上，保健衛生上及び安全上必要な種類及び数の 22. 園具 及び**教具**を備えなければならない。 ……第10条①

➤ 前項の園具及び教具は，常に**改善**し， 23. 補充 しなければならない。 ……第10条②

➤ 幼稚園は，特別の事情があり，かつ，教育上及び安全上支障がない場合は，他の**学校**等の施設及び設備を使用することができる。 ……第12条

• second try •

年 月 日( )
🕐 : ～ :
☀ ☁ ☂ ( )
🌡 am・pm ℃
😊 😐 ☹ 😣 😫

• first try •

年 月 日( )
🕐 : ～ :
☀ ☁ ☂ ( )
🌡 am・pm ℃
😊 😐 ☹ 😣 😫

second try	first try
1.	1.
2.	2.
3.	3.
4.	4.
5.	5.
6.	6.
7.	7.
8.	8.
9.	9.
10.	10.
11.	11.
12.	12.
13.	13.
14.	14.
15.	15.
16.	16.
17.	17.
18.	18.
19.	19.
20.	20.
21.	21.
22.	22.
23.	23.
24.	24.
25.	25.

➕ プラスチェック！

□ 幼稚園には，次の施設及び設備を備えるように努めなければならない。

1 放送聴取設備 2 映写設備
3 水遊び場 4 幼児清浄用設備
5 給食施設 6 図書室 7 会議室
…幼稚園設置基準第11条

*このページで覚えた知識を教師になってどう活かしたい？

*あ！あれ何だっけ？ 確認メモ！

教育関連法規

【学校教育法】

▶学校の範囲（１条校）……第１条

　　この法律で，学校とは，[1. 幼稚園]，小学校，中学校，義務教育学校，高等学校，中等教育学校，特別支援学校，大学及び高等専門学校とする。

▶授業料の徴収……第６条

　　学校においては，**授業料**を徴収することができる。ただし，国立又は公立の小学校及び中学校，義務教育学校，中等教育学校の前期課程又は特別支援学校の小学部及び中学部における[2. 義務教育]については，これを**徴収**することができない。

▶健康診断等……第12条

　　学校においては，別に法律で定めるところにより，幼児，児童，生徒及び学生並びに職員の健康の保持増進を図るため，[3. 健康診断]を行い，その他その保健に必要な措置を講じなければならない。

【学校教育法施行令】

▶学期，休業日……第29条

　　公立の学校（大学を除く）の学期並びに夏季，冬季，学年末，農繁期等における休業日又は家庭及び地域における[4. 体験的な学習活動]その他の学習活動のための休業日（体験的学習活動等休業日）は，市町村又は都道府県の設置する学校にあっては当該市町村又は都道府県の[5. 教育委員会]が，公立大学法人の設置する学校にあっては当該公立大学法人の[6. 理事長]が定める。

【学校教育法施行規則】（準用規定）

▶小学校の学年は，**４月１日**に始まり，翌年**３月31日**に終わる。……第59条

▶授業終始の**時刻**は，[7. 校長]が定める。……第60条

【教育公務員特例法】

▶研修……第21条①

　教育公務員は，その**職責**を遂行するために，絶えず[8. 研究と修養]に努めなければならない。

▶研修の機会……第22条

①教育公務員には，[9. 研修]を受ける**機会**が与えられなければならない。

②教員は，授業に支障のない限り，[10. 本属長]の承認を受けて，勤務場所を**離れて**研修を行うことができる。

③教育公務員は，[11. 任命権者]（略）の定めるところにより，現職のままで，**長期**にわたる研修を受けることができる。

➤初任者研修……第23条①

　　公立の小学校等の教諭等の 12. 研修実施者 は，当該教諭等（臨時的に任用された者その他の政令で定める者を除く）に対して，その採用（略）の日から 13. 1年間 の教諭又は保育教諭の職務の遂行に必要な事項に関する**実践的**な研修（「初任者研修」）を実施しなければならない。

【地方公務員法】
➤職務上の義務
- ○ 14. 服務 の宣誓……第31条
- ○ 15. 命令 に従う義務……第32条
- ○ 16. 職務に専念 する義務……第35条

➤身分上の義務
- ○ 17. 信用失墜行為 の禁止……第33条
- ○ 18. 秘密 を守る義務……第34条
- ○ 19. 政治的行為 の制限……第36条
- ○ 20. 争議行為 等の禁止……第37条
- ○ 21. 営利企業 への従事等の制限……第38条

【学校保健安全法施行規則】
➤健康診断票……第8条

①学校においては，法第13条第１項の**健康診断**を行ったときは，児童生徒等の 22. 健康診断票 を作成しなければならない。

②校長は，児童又は生徒が 23. 進学 した場合においては，その作成に係る当該児童又は生徒の健康診断票を進学先の**校長**に送付しなければならない。

③校長は，児童生徒等が 24. 転学 した場合においては，その作成に係る当該児童生徒等の健康診断票を転学先の**校長**，保育所の長又は認定こども園の長に送付しなければならない。

④児童生徒等の健康診断票は，25. 5年間 保存しなければならない。ただし，第２項の規定により送付を受けた児童又は生徒の健康診断票は，当該健康診断票に係る児童又は生徒が進学前の学校を卒業した日から５年間とする。

• second try •

年 月 日（ ）
🕐 ： ～ ：
☀ ☁ ☂（ ）
🌡 am・pm ℃
😀 😐 🙁 😠 😫

1.
2.
3.
4.
5.
6.
7.
8.
9.
10.
11.
12.
13.
14.
15.
16.
17.
18.
19.
20.
21.
22.
23.
24.
25.

• first try •

年 月 日（ ）
🕐 ： ～ ：
☀ ☁ ☂（ ）
🌡 am・pm ℃
😀 😐 🙁 😠 😫

1.
2.
3.
4.
5.
6.
7.
8.
9.
10.
11.
12.
13.
14.
15.
16.
17.
18.
19.
20.
21.
22.
23.
24.
25.

➕ **プラスチェック！**

[教員免許更新制の廃止]

□教育公務員特例法及び教育職員免許法の一部を改正する法律が成立し，2009年から導入されていた教員免許更新制が2022年7月1日に廃止された。

□新たに，研修等に関する記録の作成並びに資質の向上に関する指導及び助言等の規定がなされた。

＊このページで覚えた知識を教師になってどう活かしたい？

＊あ！あれ何だっけ？　確認メモ！

指導計画は具体的に，しかし実情に応じ柔軟に

指導計画は，一人一人の幼児が幼児期にふさわしい生活を展開して必要な経験を得ていくように，あらかじめ考えた仮説であることに留意して指導を行うことが大切である。

指導計画のポイント─①

指導計画作成にあたってのポイント

1. 幼児の <u>1.生活する姿</u> をとらえる。
2. 「具体的なねらいや内容」を <u>2.設定</u> する。
3. 「ねらい」「内容」と <u>3.環境</u> の構成を考える。

ここで，指導計画を作成するにあたって大切なことは，
- 幼児の <u>4.主体的</u> な営み。
- <u>5.環境</u> にかかわってさまざまな活動を展開し，体験を積み重ねる。

これらを大切にしながら，幼児の望ましい発達を促していく環境をさまざまな角度から考えて，つくり出せるようにすることである。

そして，教育要領では指導計画の作成上の基本的事項として，次のように示している。

> 環境は，具体的なねらいを達成するために適切なものとなるように構成し，幼児が自らその環境に関わることにより様々な活動を展開しつつ必要な体験を得られるようにすること。その際，幼児の生活する姿や発想を大切にし，常にその環境が適切なものとなるようにすること。

ここで，生活する姿から環境の構成を考えて，「ねらい」「内容」と，環境の構成の過程を図で示すと，

- 週のねらいや内容を考える。
- 具体的な環境の構成を考える。

また，魅力ある環境を構成するには，
- 発達の視点をもって，環境を達成する。
- いつも，周囲の環境に新鮮な目をもつ。
- 生活の流れをとらえる。

【「子供の姿」「ねらい」「内容」「環境」の理解】

➤「子供の姿」は，「幼稚園生活への 6. 適応 の状態」「興味や関心の 7. 傾向 」「季節など周囲の状況の 8. 変化 」などに現れる共通点をまとめていくことで，とらえることができる。

➤「ねらい」は，子供の姿から子供の思いや願いをくみとり，より豊かな子供の生活や 9. 遊び をイメージしながら，その中で育っていくであろう道筋。

➤「内容」は，子供たちに育ってほしい「ねらい」に近づいていくため，子供と保育者が 10. 環境 にかかわって経験していくもの。

➤「環境」は，子供の主体性を促すための物的環境構成とだけとらえるのではなく，子供の心情をくみとり，成長に作用をもたらすものや，子供の主体的活動を促すような 11. 子供同士 のかかわりにも重点がおかれるべきもの。 12. 人的環境 （保育者の子供へのかかわり方，子供同士のぶつかりあい）への配慮も必要である。

➤「子供の姿」を把握し，「ねらい」をはっきりととらえ，ねらいを達成するにはどのような「 13. 環境 を構成」し，それによって子供たちの「活動」がどう展開していくかなどを考えなければならない。

【指導計画を立てる手順】（例）

① クラスの構成（年齢，人数，男女別）などを確認する。

② クラスの週案を理解する。

③ いままでのクラスの状態（生活のしかた，仲間関係，遊び，一斉保育の展開のしかた）を把握する。

④ 1日の生活の流れがどのようになっているかを理解し，その日の内容を考えてみる。

⑤ その日の「中心となる活動」と「ねらい」を決める。

⑥ 活動の「ねらい」が実現するための「環境構成」〔活動に必要な空間，準備する教材，道具，人的環境（指導者のあり方），雰囲気〕および配慮を考える。

⑦ 子供の活動の予想（日常の繰り返し活動，自由遊び，中心となる活動）をする。

⑧ 活動の予想にもとづき，かかわり方や指導，援助の留意点を考える。（導入，展開，まとめ）

⑨ 実際に指導計画案に書きこむ。

• second try •

年 月 日（ ）
🕐 ： ～ ：
☀ ☁ ☂ （ ）
🌡 am・pm ℃
😀 😐 😟 😣 😵

1.
2.
3.
4.
5.
6.
7.
8.
9.
10.
11.
12.
13.
14.
15.
16.
17.
18.
19.
20.
21.
22.
23.
24.
25.

• first try •

年 月 日（ ）
🕐 ： ～ ：
☀ ☁ ☂ （ ）
🌡 am・pm ℃
😀 😐 😟 😣 😵

1.
2.
3.
4.
5.
6.
7.
8.
9.
10.
11.
12.
13.
14.
15.
16.
17.
18.
19.
20.
21.
22.
23.
24.
25.

➕ **プラスチェック！**

[指導計画案に書き込む事項の例]

□ 指導計画案の形式を自分なりに決める。

□ クラスの構成，その週のクラスの状態，活動の内容とねらい，その日の生活の流れとおもな内容，環境の構成と配慮，予想される子供の活動と時間配分，活動の予想にもとづく指導・援助の留意点，など。

＊このページで覚えた知識を教師になってどう活かしたい？

＊あ！あれ何だっけ？ 確認メモ！

指導計画は評価を生かし改善していくことが重要

保育における評価は指導の課程の全体に対して行われる。教師らが互いの指導事例を持ち寄り話し合うなど多角的に評価することや，園内研修の充実を図ることも必要と考えられる。

指導計画のポイント―②

【指導計画作成にあたり考慮すべきこと】

○計画内容は，子供の [1. 年齢] 時期に適しているか？

○園の指導計画，とくに週案との関連はどうか？

○現在の子供の興味や関心はなにか？

○子供たちの [2. 主体的] な活動を引き出すための環境構成であるか？

○準備すべき必要な [3. 教材] はなにか？

○子供たちの活動を発展させるような援助活動であるか？

○活動のねらいや内容は多すぎないか？

○活動の流れや時間をどうするのか？

○計画に [4. 弾力性] はあるのか？

○活動の間合いや移行のときの指導はどうか？

▶どんなに綿密に作成した保育案でも，たった一通りの内容しか考えられていないものは不適当である。幼児の状態，天候，突発的に生起する活動などを考え合わせて，起こりうる変化を予想した柔軟性のある保育案を作成する必要がある。

▶また，生き生きとした幼児の活動は，いつも決まった場所，方法では期待できない。1日の活動の中で，いかに豊かな刺激を与えるか，幼児の興味や関心を引くにはどのようにしたらよいだろうか，なども検討されなければならない。1日の幼稚園における生活に，静的活動と動的活動，緊張と開放，個人と集団などを適当に配分していくことも必要である。

【指導計画作成の実際】

▶ [5. 長期] の指導計画は，それぞれの幼稚園の教育課程に沿って，幼児の生活を長期的に見通しながら，具体的な指導の手順や方法を大筋で捉えたものである。

▶ [6. 短期] の指導計画は，週や日などの短期の指導計画は目の前の幼児の生活する姿に応じて，発達を促すために，いま必要なものはなにかをとらえて，ねらいや内容，環境の構成，活動などについて，実際の [7. 生活] に直結して，具体的に作成するものである。

したがって，

＊幼児の [8. 生活] の自然な流れや生活のリズム。

＊環境の構成をはじめとする教師の [9. 援助] の具体的なイメージ。

＊生活の流れに応じた [10. 柔軟] な対応。

を大切にする必要がある。

【指導計画作成上の配慮点】

➤家庭や 11. 地域 の生活との連続性。

➤行事の取り扱い。年間行事を考えてみると・・・

　　　　1 月
　　　　2 月　節分
　　　　3 月　おひなまつり
　　　　4 月
　　　　5 月　端午の節句
　　　　6 月
　　　　7 月　七夕まつり
　　　　8 月
　　　　9 月
　　　10 月　運動会
　　　11 月
　　　12 月　クリスマス会
　　ほかに，幼児たちの誕生日を祝う。

➤実践を通して評価。

【教師の役割は？】

➤**幼児を理解すること**……幼児の発達の状態を，幼稚園生活を通して的確に把握し，幼児一人ひとりの特質や，発達への課題をつかむことである。

➤**幼児との 12. 信頼関係 を築くこと**……幼児との生活の中で，幼児の行動や発見，感動，工夫，努力などを温かく受けとめ，認めたり，共感したり，励ましたりして心を通わせることから信頼関係を築いていく。

➤ **13. 環境 を構成すること**……幼児の生活の流れや発達に沿って，具体的なねらいや内容を設定し，それに見合った環境をつくり出す。幼児は身近な大人の生活感情や行動をそのまま， 14. まね しやすいので，十分気をつけて環境を構成すること。

➤**直接的な 15. 援助 を行うこと**……承認，共感，励まし，アイディアを出す，手助けする，相談相手になるなどは，幼児の体験を豊かに展開させ， 16. 体験 が確かなものになるために必要なものである。

➕ プラスチェック！

□指導計画作成の手順や形式には，一定したものはない。幼児の生活に応じた保育を展開するためのよりどころとなるように，それぞれの幼稚園が工夫してつくり出すことが求められている。

＊このページで覚えた知識を教師になってどう活かしたい？

＊あ！あれ何だっけ？　確認メモ！

目的に沿った効果的な指導・活動を

幼児が主体的に楽しみ創造的な活動ができるよう，わかりやすく無駄のない指導力や幼児の
様子に沿った応用力が求められる。活動中の幼児の安全や環境整備にも注意が必要である。

指導技術

【お話（素話）】

▶「お話」は，おとぎ話・童話・民話・昔話などを 1. 大人 が幼児に話すことをいう。

▶幼児は「お話」を聞くことが好きである。「お話」は，幼児の夢や創造性を豊かにする大切な栄養源
であるともいえる。幼児の 2. 感性 を豊かに育むためにも，できるだけたくさんの「お話」を聞かせ
たいものである。

▶「お話」を聞きながら，自然に場面や情景を自分の頭の中に思い描いていく過程は， 3. 思考力 を養
うことにもなる。

▶幼児は，わかりやすい言葉・内容で，夢があり，共感でき，あまり長くないものを好む。

    ＊2〜3歳　→『桃太郎』『おおきなかぶ』『三匹のこぶた』『おむすびころりん』

    ＊3〜4歳（3〜5分が適当）　→『赤ずきん』『シンデレラ（サンドリヨン）』『三まいのおふだ』
    『白雪姫』『かさじぞう』『三びきのくま』

    ＊4〜5歳（ 4. 10 分ぐらいが適当）　→『おしゃれねこ』『くるくるのひみつ』『おいてけ堀』『さ
    るかに合戦』『ねずみの嫁入り』『北風と太陽』『てぶくろ』『こびととくつや』

【紙芝居】

▶幼児の集中度，興味の持続時間を考えて，題材，内容，長さを選択すること。

▶紙芝居を使うねらい・目的をはっきりもって，その 5. 目的 にあったものを選ぶこと（ある活動の導
入のため，生活指導のため，など）。

▶使う前には，よく 6. 教材研究 をしておき，何回か声に出して読んでみること。

▶登場人物の年齢，大きさ，動きによってゆっくりした口調でしゃべったり，早口でしゃべったりな
ど，テンポに変化をつけたりして聞きやすくすること。

▶読むことばかりに気を取られないで，幼児の様子を見て， 7. 反応 を受けながら進めること。

▶できるだけ舞台（扉になっているもののほうがよい）を使って，固定させて見せるほうが幼児たちも
落ち着いて見ることができ，目にもよい。

【絵本】

▶絵本は幼児が出会う最初の本である。

▶絵本には，観察絵本，物語絵本，童話絵本，あいうえお絵本，といった種類がある。

▶絵本を読み聞かせる場合には，読み手は字が読みにくいため暗唱できるくらい事前に 8. 読み込んで
おくこと， 9. 声 の高さ・速さ・読み手の立つ場所や雰囲気づくりなどに留意すること，が重要であ
る。

【人形劇】

➤ 人形劇には，手伝い人形劇，棒使い人形劇，指人形劇，糸操り人形劇，ぬいぐるみ人形劇，ペープサート，パネルシアター，エプロンシアター，影絵人形劇，といった種類がある。

【遊び歌】

➤ 遊び歌には，指遊びや手遊び（歌いながら手でリズムを取ったり動物や花の形をつくったりするもの），絵描き歌（絵を描きながら歌うもの）といった種類がある。

➤ 幼児たちの生活の中で幼児の歌がどのように歌われているかをみると，年齢が低いほど， 10. 遊び を伴っている場合が多くみられる。

〈遊び歌の特徴〉

○ 歌詞やメロディが歌いやすく， 11. 覚え やすい。

○ 遊ぶことに集中するため，発声に無理がなく表現が自然。

○ 拍子感や，リズム感の学習が自然にできる。

○ 12. 集団 で同じことができる。

【ピアノを弾くことと歌うこと】

➤ 幼稚園においては，幼児が歌ったり，リズム遊びをしたり，行進したりといったさまざまな場面で，ピアノ（オルガン）の演奏・伴奏，弾きながら歌ったりすることが要求される。

➤ 伴奏するときには，単に楽譜どおりそのままピアノで弾くだけでなく，その場の雰囲気や，幼児たちの反応によって，さまざまに曲をアレンジできる 13. 即興力 や応用力が必要である。

○ 楽譜にばかり気を取られず，常に幼児たちの様子を見ながら弾くことができる。

○ 止まったり，弾き直したりすることのないように，自分の力に応じて簡略化して弾くことができる。

【戸外の遊び】

➤ 多くの園では，朝，登園すると各自好きな遊びで自由に遊ぶ時間がある。幼児たちと一緒に遊ぶことで，幼児同士のかかわり方や一人ひとりの幼児を理解できる貴重な時間である。

➤ 幼児たちの遊びが 14. 発展 していくような援助を行えるためには，幼児が楽しめる遊びを指導者自身たくさん知っていることが必要である。

• second try	• first try
年　月　日（　）	年　月　日（　）
⏰ ：　～　：	⏰ ：　～　：
☀ ☁ ☂（　　）	☀ ☁ ☂（　　）
✎ am・pm　　℃	✎ am・pm　　℃
😀 😐 🙁 😣 😵	😀 😐 🙁 😣 😵

1.	1.
2.	2.
3.	3.
4.	4.
5.	5.
6.	6.
7.	7.
8.	8.
9.	9.
10.	10.
11.	11.
12.	12.
13.	13.
14.	14.
15.	15.
16.	16.
17.	17.
18.	18.
19.	19.
20.	20.
21.	21.
22.	22.
23.	23.
24.	24.
25.	25.

➕ プラスチェック！

[ゲーム]

☐ ゲームは指導する目的や内容に応じていろいろ利用でき，日常の保育に豊かな変化をもたせる上からも欠かせないものである。幼児の年齢段階にあったもので遊ぶことが大切である。

＊このページで覚えた知識を教師になってどう活かしたい？

＊あ！あれ何だっけ？　確認メモ！

new runner's supplementary materials

巻末クイック資料

〔目標〕

(幼稚園は「学校教育法（第22条，第23条）」，幼保連携型認定こども園は「就学前の子どもに関する教育，保育等の総合的な提供の推進に関する法律（第9条）」，保育所は「保育所保育指針」）

		幼 稚 園	幼保連携型認定こども園	保 育 所
目標		幼稚園は，義務教育及びその後の教育の基礎を培うものとして，幼児を保育し，幼児の健やかな成長のために適当な環境を与えて，その心身の発達を助長することを目的とする。	幼保連携型認定こども園においては，第2条第7項に規定する目的を実現するため，子どもに対する学校としての教育及び児童福祉施設（児童福祉法第7条第1項に規定する児童福祉施設をいう。）としての保育並びにその実施する保護者に対する子育て支援事業の相互の有機的な連携を図りつつ，次に掲げる目標を達成するよう当該教育及び当該保育を行うものとする。	ア　保育所は，子どもが生涯にわたる人間形成にとって極めて重要な時期に，その生活時間の大半を過ごす場である。このため，保育所の保育は，子どもが現在を最も良く生き，望ましい未来をつくり出す力の基礎を培うために，次の目標を目指して行わなければならない。
		幼稚園における教育は，前条に規定する目的を実現するため，次に掲げる目標を達成するよう行われるものとする。		(ア)　十分に養護の行き届いた環境の下に，くつろいだ雰囲気の中で子どもの様々な欲求を満たし，生命の保持及び情緒の安定を図ること。
		1　健康，安全で幸福な生活のために必要な基本的な習慣を養い，身体諸機能の調和的発達を図ること。	1　健康，安全で幸福な生活のために必要な基本的な習慣を養い，身体諸機能の調和的発達を図ること。	(イ)　健康，安全など生活に必要な基本的な習慣や態度を養い，心身の健康の基礎を培うこと。
		2　集団生活を通じて，喜んでこれに参加する態度を養うとともに家族や身近な人への信頼感を深め，自主，自律及び協同の精神並びに規範意識の芽生えを養うこと。	2　集団生活を通じて，喜んでこれに参加する態度を養うとともに家族や身近な人への信頼感を深め，自主，自律及び協同の精神並びに規範意識の芽生えを養うこと。	(ウ)　人との関わりの中で，人に対する愛情と信頼感，そして人権を大切にする心を育てるとともに，自主，自立及び協調の態度を養い，道徳性の芽生えを培うこと。
		3　身近な社会生活，生命及び自然に対する興味を養い，それらに対する正しい理解と態度及び思考力の芽生えを養うこと。	3　身近な社会生活，生命及び自然に対する興味を養い，それらに対する正しい理解と態度及び思考力の芽生えを養うこと。	(エ)　生命，自然及び社会の事象についての興味や関心を育て，それらに対する豊かな心情や思考力の芽生えを培うこと。
		4　日常の会話や，絵本，童話等に親しむことを通じて，言葉の使い方を正しく導くとともに，相手の話を理解しようとする態度を養うこと。	4　日常の会話や，絵本，童話等に親しむことを通じて，言葉の使い方を正しく導くとともに，相手の話を理解しようとする態度を養うこと。	(オ)　生活の中で，言葉への興味や関心を育て，話したり，聞いたり，相手の話を理解しようとするなど，言葉の豊かさを養うこと。
		5　音楽，身体による表現，造形等に親しむことを通じて，豊かな感性と表現力の芽生えを養うこと。	5　音楽，身体による表現，造形等に親しむことを通じて，豊かな感性と表現力の芽生えを養うこと。	(カ)　様々な体験を通して，豊かな感性や表現力を育み，創造性の芽生えを培うこと。
			6　快適な生活環境の実現及び子どもと保育教諭その他の職員との信頼関係の構築を通じて，心身の健康の確保及び増進を図ること。	イ　保育所は，入所する子どもの保護者に対し，その意向を受け止め，子どもと保護者の安定した関係に配慮し，保育所の特性や保育士等の専門性を生かして，その援助に当たらなければならない。

new runner's supplementary materials

〔「健康」のねらい・内容〕

※幼稚園は「幼稚園教育要領」，幼保連携型認定こども園は「幼保連携型認定こども園教育・保育要領」，保育所は「保育所保育指針」より。以下同様。
（幼保連携型認定こども園は「満3歳以上の園児」，保育所は「3歳以上児」を対象としたねらい・内容）

	幼 稚 園	幼保連携型認定こども園	保 育 所
	健康な心と体を育て，自ら健康で安全な生活をつくり出す力を養う。	健康な心と体を育て，自ら健康で安全な生活をつくり出す力を養う。	健康な心と体を育て，自ら健康で安全な生活をつくり出す力を養う。
ね ら い	(1) 明るく伸び伸びと行動し，充実感を味わう。 (2) 自分の体を十分に動かし，進んで運動しようとする。 (3) 健康，安全な生活に必要な習慣や態度を身に付け，見通しをもって行動する。	(1) 明るく伸び伸びと行動し，充実感を味わう。 (2) 自分の体を十分に動かし，進んで運動しようとする。 (3) 健康，安全な生活に必要な習慣や態度を身に付け，見通しをもって行動する。	(1) 明るく伸び伸びと行動し，充実感を味わう。 (2) 自分の体を十分に動かし，進んで運動しようとする。 (3) 健康，安全な生活に必要な習慣や態度を身に付け，見通しをもって行動する。
内 容	(1) 先生や友達と触れ合い，安定感をもって行動する。 (2) いろいろな遊びの中で十分に体を動かす。 (3) 進んで戸外で遊ぶ。 (4) 様々な活動に親しみ，楽しんで取り組む。 (5) 先生や友達と食べることを楽しみ，食べ物への興味や関心をもつ。 (6) 健康な生活のリズムを身に付ける。 (7) 身の回りを清潔にし，衣服の着脱，食事，排泄などの生活に必要な活動を自分でする。 (8) 幼稚園における生活の仕方を知り，自分たちで生活の場を整えながら見通しをもって行動する。 (9) 自分の健康に関心をもち，病気の予防などに必要な活動を進んで行う。 (10) 危険な場所，危険な遊び方，災害時などの行動の仕方が分かり，安全に気を付けて行動する。	(1) 保育教諭等や友達と触れ合い，安定感をもって行動する。 (2) いろいろな遊びの中で十分に体を動かす。 (3) 進んで戸外で遊ぶ。 (4) 様々な活動に親しみ，楽しんで取り組む。 (5) 保育教諭等や友達と食べることを楽しみ，食べ物への興味や関心をもつ。 (6) 健康な生活のリズムを身に付ける。 (7) 身の回りを清潔にし，衣服の着脱，食事，排泄などの生活に必要な活動を自分でする。 (8) 幼保連携型認定こども園における生活の仕方を知り，自分たちで生活の場を整えながら見通しをもって行動する。 (9) 自分の健康に関心をもち，病気の予防などに必要な活動を進んで行う。 (10) 危険な場所，危険な遊び方，災害時などの行動の仕方が分かり，安全に気を付けて行動する。	(1) 保育士等や友達と触れ合い，安定感をもって行動する。 (2) いろいろな遊びの中で十分に体を動かす。 (3) 進んで戸外で遊ぶ。 (4) 様々な活動に親しみ，楽しんで取り組む。 (5) 保育士等や友達と食べることを楽しみ，食べ物への興味や関心をもつ。 (6) 健康な生活のリズムを身に付ける。 (7) 身の回りを清潔にし，衣服の着脱，食事，排泄などの生活に必要な活動を自分でする。 (8) 保育所における生活の仕方を知り，自分たちで生活の場を整えながら見通しをもって行動する。 (9) 自分の健康に関心をもち，病気の予防などに必要な活動を進んで行う。 (10) 危険な場所，危険な遊び方，災害時などの行動の仕方が分かり，安全に気を付けて行動する。

new runner's supplementary materials

幼稚園・認定こども園・保育所の目標と内容の比較③

〔「人間関係」のねらい・内容〕

(幼保連携型認定こども園は「満3歳以上の園児」，保育所は「3歳以上児」を対象としたねらい・内容)

	幼 稚 園	幼保連携型認定こども園	保 育 所
	他の人々と親しみ， 支え合って生活するために， 自立心を育て，人と関わる力を養う。	他の人々と親しみ， 支え合って生活するために， 自立心を育て，人と関わる力を養う。	他の人々と親しみ， 支え合って生活するために， 自立心を育て，人と関わる力を養う。
ね ら い	(1) 幼稚園生活を楽しみ，自分の力で行動することの充実感を味わう。 (2) 身近な人と親しみ，関わりを深め，工夫したり，協力したりして一緒に活動する楽しさを味わい，愛情や信頼感をもつ。 (3) 社会生活における望ましい習慣や態度を身に付ける。	(1) 幼保連携型認定こども園の生活を楽しみ，自分の力で行動することの充実感を味わう。 (2) 身近な人と親しみ，関わりを深め，工夫したり，協力したりして一緒に活動する楽しさを味わい，愛情や信頼感をもつ。 (3) 社会生活における望ましい習慣や態度を身に付ける。	(1) 保育所の生活を楽しみ，自分の力で行動することの充実感を味わう。 (2) 身近な人と親しみ，関わりを深め，工夫したり，協力したりして一緒に活動する楽しさを味わい，愛情や信頼感をもつ。 (3) 社会生活における望ましい習慣や態度を身に付ける。
内 容	(1) 先生や友達と共に過ごすことの喜びを味わう。 (2) 自分で考え，自分で行動する。 (3) 自分でできることは自分でする。 (4) いろいろな遊びを楽しみながら物事をやり遂げようとする気持ちをもつ。 (5) 友達と積極的に関わりながら喜びや悲しみを共感し合う。 (6) 自分の思ったことを相手に伝え，相手の思っていることに気付く。 (7) 友達のよさに気付き，一緒に活動する楽しさを味わう。 (8) 友達と楽しく活動する中で，共通の目的を見いだし，工夫したり，協力したりなどする。 (9) よいことや悪いことがあることに気付き，考えながら行動する。 (10) 友達との関わりを深め，思いやりをもつ。 (11) 友達と楽しく生活する中できまりの大切さに気付き，守ろうとする。 (12) 共同の遊具や用具を大切にし，皆で使う。 (13) 高齢者をはじめ地域の人々などの自分の生活に関係の深いいろいろな人に親しみをもつ。	(1) 保育教諭等や友達と共に過ごすことの喜びを味わう。 (2) 自分で考え，自分で行動する。 (3) 自分でできることは自分でする。 (4) いろいろな遊びを楽しみながら物事をやり遂げようとする気持ちをもつ。 (5) 友達と積極的に関わりながら喜びや悲しみを共感し合う。 (6) 自分の思ったことを相手に伝え，相手の思っていることに気付く。 (7) 友達のよさに気付き，一緒に活動する楽しさを味わう。 (8) 友達と楽しく活動する中で，共通の目的を見いだし，工夫したり，協力したりなどする。 (9) よいことや悪いことがあることに気付き，考えながら行動する。 (10) 友達との関わりを深め，思いやりをもつ。 (11) 友達と楽しく生活する中できまりの大切さに気付き，守ろうとする。 (12) 共同の遊具や用具を大切にし，皆で使う。 (13) 高齢者をはじめ地域の人々などの自分の生活に関係の深いいろいろな人に親しみをもつ。	(1) 保育士等や友達と共に過ごすことの喜びを味わう。 (2) 自分で考え，自分で行動する。 (3) 自分でできることは自分でする。 (4) いろいろな遊びを楽しみながら物事をやり遂げようとする気持ちをもつ。 (5) 友達と積極的に関わりながら喜びや悲しみを共感し合う。 (6) 自分の思ったことを相手に伝え，相手の思っていることに気付く。 (7) 友達のよさに気付き，一緒に活動する楽しさを味わう。 (8) 友達と楽しく活動する中で，共通の目的を見いだし，工夫したり，協力したりなどする。 (9) よいことや悪いことがあることに気付き，考えながら行動する。 (10) 友達との関わりを深め，思いやりをもつ。 (11) 友達と楽しく生活する中できまりの大切さに気付き，守ろうとする。 (12) 共同の遊具や用具を大切にし，皆で使う。 (13) 高齢者をはじめ地域の人々などの自分の生活に関係の深いいろいろな人に親しみをもつ。

〔「環境」のねらい・内容〕

(幼保連携型認定こども園は「満3歳以上の園児」，保育所は「3歳以上児」を対象としたねらい・内容)

	幼 稚 園	幼保連携型認定こども園	保 育 所
	周囲の様々な環境に好奇心や探究心をもって関わり，それらを生活に取り入れていこうとする力を養う。	周囲の様々な環境に好奇心や探究心をもって関わり，それらを生活に取り入れていこうとする力を養う。	周囲の様々な環境に好奇心や探究心をもって関わり，それらを生活に取り入れていこうとする力を養う。
ね ら い	(1) 身近な環境に親しみ，自然と触れ合う中で様々な事象に興味や関心をもつ。 (2) 身近な環境に自分から関わり，発見を楽しんだり，考えたりし，それを生活に取り入れようとする。 (3) 身近な事象を見たり，考えたり，扱ったりする中で，物の性質や数量，文字などに対する感覚を豊かにする。	(1) 身近な環境に親しみ，自然と触れ合う中で様々な事象に興味や関心をもつ。 (2) 身近な環境に自分から関わり，発見を楽しんだり，考えたりし，それを生活に取り入れようとする。 (3) 身近な事象を見たり，考えたり，扱ったりする中で，物の性質や数量，文字などに対する感覚を豊かにする。	(1) 身近な環境に親しみ，自然と触れ合う中で様々な事象に興味や関心をもつ。 (2) 身近な環境に自分から関わり，発見を楽しんだり，考えたりし，それを生活に取り入れようとする。 (3) 身近な事象を見たり，考えたり，扱ったりする中で，物の性質や数量，文字などに対する感覚を豊かにする。
内 容	(1) 自然に触れて生活し，その大きさ，美しさ，不思議さなどに気付く。 (2) 生活の中で，様々な物に触れ，その性質や仕組みに興味や関心をもつ。 (3) 季節により自然や人間の生活に変化のあることに気付く。 (4) 自然などの身近な事象に関心をもち，取り入れて遊ぶ。 (5) 身近な動植物に親しみをもって接し，生命の尊さに気付き，いたわったり，大切にしたりする。 (6) 日常生活の中で，我が国や地域社会における様々な文化や伝統に親しむ。 (7) 身近な物を大切にする。 (8) 身近な物や遊具に興味をもって関わり，自分なりに比べたり，関連付けたりしながら考えたり，試したりして工夫して遊ぶ。 (9) 日常生活の中で数量や図形などに関心をもつ。 (10) 日常生活の中で簡単な標識や文字などに関心をもつ。 (11) 生活に関係の深い情報や施設などに興味や関心をもつ。 (12) 幼稚園内外の行事において国旗に親しむ。	(1) 自然に触れて生活し，その大きさ，美しさ，不思議さなどに気付く。 (2) 生活の中で，様々な物に触れ，その性質や仕組みに興味や関心をもつ。 (3) 季節により自然や人間の生活に変化のあることに気付く。 (4) 自然などの身近な事象に関心をもち，取り入れて遊ぶ。 (5) 身近な動植物に親しみをもって接し，生命の尊さに気付き，いたわったり，大切にしたりする。 (6) 日常生活の中で，我が国や地域社会における様々な文化や伝統に親しむ。 (7) 身近な物を大切にする。 (8) 身近な物や遊具に興味をもって関わり，自分なりに比べたり，関連付けたりしながら考えたり，試したりして工夫して遊ぶ。 (9) 日常生活の中で数量や図形などに関心をもつ。 (10) 日常生活の中で簡単な標識や文字などに関心をもつ。 (11) 生活に関係の深い情報や施設などに興味や関心をもつ。 (12) 幼保連携型認定こども園内外の行事において国旗に親しむ。	(1) 自然に触れて生活し，その大きさ，美しさ，不思議さなどに気付く。 (2) 生活の中で，様々な物に触れ，その性質や仕組みに興味や関心をもつ。 (3) 季節により自然や人間の生活に変化のあることに気付く。 (4) 自然などの身近な事象に関心をもち，取り入れて遊ぶ。 (5) 身近な動植物に親しみをもって接し，生命の尊さに気付き，いたわったり，大切にしたりする。 (6) 日常生活の中で，我が国や地域社会における様々な文化や伝統に親しむ。 (7) 身近な物を大切にする。 (8) 身近な物や遊具に興味をもって関わり，自分なりに比べたり，関連付けたりしながら考えたり，試したりして工夫して遊ぶ。 (9) 日常生活の中で数量や図形などに関心をもつ。 (10) 日常生活の中で簡単な標識や文字などに関心をもつ。 (11) 生活に関係の深い情報や施設などに興味や関心をもつ。 (12) 保育所内外の行事において国旗に親しむ。

〔「言葉」のねらい・内容〕

(幼保連携型認定こども園は「満3歳以上の園児」，保育所は「3歳以上児」を対象としたねらい・内容)

	幼 稚 園	幼保連携型認定こども園	保 育 所
	経験したことや考えたことなどを自分なりの言葉で表現し，相手の話す言葉を聞こうとする意欲や態度を育て，言葉に対する感覚や言葉で表現する力を養う。	経験したことや考えたことなどを自分なりの言葉で表現し，相手の話す言葉を聞こうとする意欲や態度を育て，言葉に対する感覚や言葉で表現する力を養う。	経験したことや考えたことなどを自分なりの言葉で表現し，相手の話す言葉を聞こうとする意欲や態度を育て，言葉に対する感覚や言葉で表現する力を養う。
ね ら い	(1) 自分の気持ちを言葉で表現する楽しさを味わう。 (2) 人の言葉や話などをよく聞き，自分の経験したことや考えたことを話し，伝え合う喜びを味わう。 (3) 日常生活に必要な言葉が分かるようになるとともに，絵本や物語などに親しみ，言葉に対する感覚を豊かにし，先生や友達と心を通わせる。	(1) 自分の気持ちを言葉で表現する楽しさを味わう。 (2) 人の言葉や話などをよく聞き，自分の経験したことや考えたことを話し，伝え合う喜びを味わう。 (3) 日常生活に必要な言葉が分かるようになるとともに，絵本や物語などに親しみ，言葉に対する感覚を豊かにし，保育教諭等や友達と心を通わせる。	(1) 自分の気持ちを言葉で表現する楽しさを味わう。 (2) 人の言葉や話などをよく聞き，自分の経験したことや考えたことを話し，伝え合う喜びを味わう。 (3) 日常生活に必要な言葉が分かるようになるとともに，絵本や物語などに親しみ，言葉に対する感覚を豊かにし，保育士等や友達と心を通わせる。
内 容	(1) 先生や友達の言葉や話に興味や関心をもち，親しみをもって聞いたり，話したりする。 (2) したり，見たり，聞いたり，感じたり，考えたりなどしたことを自分なりに言葉で表現する。 (3) したいこと，してほしいことを言葉で表現したり，分からないことを尋ねたりする。 (4) 人の話を注意して聞き，相手に分かるように話す。 (5) 生活の中で必要な言葉が分かり，使う。 (6) 親しみをもって日常の挨拶をする。 (7) 生活の中で言葉の楽しさや美しさに気付く。 (8) いろいろな体験を通じてイメージや言葉を豊かにする。 (9) 絵本や物語などに親しみ，興味をもって聞き，想像をする楽しさを味わう。 (10) 日常生活の中で，文字などで伝える楽しさを味わう。	(1) 保育教諭等や友達の言葉や話に興味や関心をもち，親しみをもって聞いたり，話したりする。 (2) したり，見たり，聞いたり，感じたり，考えたりなどしたことを自分なりに言葉で表現する。 (3) したいこと，してほしいことを言葉で表現したり，分からないことを尋ねたりする。 (4) 人の話を注意して聞き，相手に分かるように話す。 (5) 生活の中で必要な言葉が分かり，使う。 (6) 親しみをもって日常の挨拶をする。 (7) 生活の中で言葉の楽しさや美しさに気付く。 (8) いろいろな体験を通じてイメージや言葉を豊かにする。 (9) 絵本や物語などに親しみ，興味をもって聞き，想像をする楽しさを味わう。 (10) 日常生活の中で，文字などで伝える楽しさを味わう。	(1) 保育士等や友達の言葉や話に興味や関心をもち，親しみをもって聞いたり，話したりする。 (2) したり，見たり，聞いたり，感じたり，考えたりなどしたことを自分なりに言葉で表現する。 (3) したいこと，してほしいことを言葉で表現したり，分からないことを尋ねたりする。 (4) 人の話を注意して聞き，相手に分かるように話す。 (5) 生活の中で必要な言葉が分かり，使う。 (6) 親しみをもって日常の挨拶をする。 (7) 生活の中で言葉の楽しさや美しさに気付く。 (8) いろいろな体験を通じてイメージや言葉を豊かにする。 (9) 絵本や物語などに親しみ，興味をもって聞き，想像をする楽しさを味わう。 (10) 日常生活の中で，文字などで伝える楽しさを味わう。

〔「表現」のねらい・内容〕

(幼保連携型認定こども園は「満3歳以上の園児」，保育所は「3歳以上児」を対象としたねらい・内容)

	幼　稚　園	幼保連携型認定こども園	保　育　所
	感じたことや考えたことを自分なりに表現することを通して，豊かな感性や表現する力を養い，創造性を豊かにする。	感じたことや考えたことを自分なりに表現することを通して，豊かな感性や表現する力を養い，創造性を豊かにする。	感じたことや考えたことを自分なりに表現することを通して，豊かな感性や表現する力を養い，創造性を豊かにする。
ねらい	(1)　いろいろなものの美しさなどに対する豊かな感性をもつ。 (2)　感じたことや考えたことを自分なりに表現して楽しむ。 (3)　生活の中でイメージを豊かにし，様々な表現を楽しむ。	(1)　いろいろなものの美しさなどに対する豊かな感性をもつ。 (2)　感じたことや考えたことを自分なりに表現して楽しむ。 (3)　生活の中でイメージを豊かにし，様々な表現を楽しむ。	(1)　いろいろなものの美しさなどに対する豊かな感性をもつ。 (2)　感じたことや考えたことを自分なりに表現して楽しむ。 (3)　生活の中でイメージを豊かにし，様々な表現を楽しむ。
内容	(1)　生活の中で様々な音，形，色，手触り，動きなどに気付いたり，感じたりするなどして楽しむ。 (2)　生活の中で美しいものや心を動かす出来事に触れ，イメージを豊かにする。 (3)　様々な出来事の中で，感動したことを伝え合う楽しさを味わう。 (4)　感じたこと，考えたことなどを音や動きなどで表現したり，自由にかいたり，つくったりなどする。 (5)　いろいろな素材に親しみ，工夫して遊ぶ。 (6)　音楽に親しみ，歌を歌ったり，簡単なリズム楽器を使ったりなどする楽しさを味わう。 (7)　かいたり，つくったりすることを楽しみ，遊びに使ったり，飾ったりなどする。 (8)　自分のイメージを動きや言葉などで表現したり，演じて遊んだりするなどの楽しさを味わう。	(1)　生活の中で様々な音，形，色，手触り，動きなどに気付いたり，感じたりするなどして楽しむ。 (2)　生活の中で美しいものや心を動かす出来事に触れ，イメージを豊かにする。 (3)　様々な出来事の中で，感動したことを伝え合う楽しさを味わう。 (4)　感じたこと，考えたことなどを音や動きなどで表現したり，自由にかいたり，つくったりなどする。 (5)　いろいろな素材に親しみ，工夫して遊ぶ。 (6)　音楽に親しみ，歌を歌ったり，簡単なリズム楽器を使ったりなどする楽しさを味わう。 (7)　かいたり，つくったりすることを楽しみ，遊びに使ったり，飾ったりなどする。 (8)　自分のイメージを動きや言葉などで表現したり，演じて遊んだりするなどの楽しさを味わう。	(1)　生活の中で様々な音，形，色，手触り，動きなどに気付いたり，感じたりするなどして楽しむ。 (2)　生活の中で美しいものや心を動かす出来事に触れ，イメージを豊かにする。 (3)　様々な出来事の中で，感動したことを伝え合う楽しさを味わう。 (4)　感じたこと，考えたことなどを音や動きなどで表現したり，自由にかいたり，つくったりなどする。 (5)　いろいろな素材に親しみ，工夫して遊ぶ。 (6)　音楽に親しみ，歌を歌ったり，簡単なリズム楽器を使ったりなどする楽しさを味わう。 (7)　かいたり，つくったりすることを楽しみ，遊びに使ったり，飾ったりなどする。 (8)　自分のイメージを動きや言葉などで表現したり，演じて遊んだりするなどの楽しさを味わう。

保育所と幼稚園と小学校の比較①

	保　育　所	幼　稚　園	小　学　校
法規	児童福祉法	学校教育法	学校教育法
目的	児童福祉法第39条 ①　保育所は，保育を必要とする乳児・幼児を日々保護者の下から通わせて保育を行うことを目的とする施設（利用定員が20人以上であるものに限り，幼保連携型認定こども園を除く。）とする。	学校教育法第22条 　幼稚園は，義務教育及びその後の教育の基礎を培うものとして，幼児を保育し，幼児の健やかな成長のために適当な環境を与えて，その心身の発達を助長することを目的とする。	学校教育法第29条 　小学校は，心身の発達に応じて，義務教育として行われる普通教育のうち基礎的なものを施すことを目的とする。
対象	児童福祉法第4条 ①　この法律で，児童とは，満18歳に満たない者をいい，児童を左のように分ける。 1　乳児 　満1歳に満たない者 2　幼児 　満1歳から小学校就学の始期に達するまでの者 3　少年 　小学校就学の始期から，満18歳に達するまでの者	学校教育法第26条 　幼稚園に入園することのできる者は，満3歳から，小学校就学の始期に達するまでの幼児とする。	学校教育法第17条 　保護者は，子の満6歳に達した日の翌日以後における最初の学年の初めから，満12歳に達した日の属する学年の終わりまで，これを小学校，義務教育学校の前期課程又は特別支援学校の小学部に就学させる義務を負う。ただし，子が，満12歳に達した日の属する学年の終わりまでに小学校の課程，義務教育学校の前期課程又は特別支援学校の小学部の課程を修了しないときは，満15歳に達した日の属する学年の終わり（それまでの間においてこれらの課程を修了したときは，その修了した日の属する学年の終わり）までとする。

	保 育 所	幼 稚 園	小 学 校
設置者	児童福祉法第35条 ① 国は，政令の定めるところにより，児童福祉施設（助産施設，母子生活支援施設，保育所及び幼保連携型認定こども園を除く。）を設置するものとする。 ② 都道府県は，政令の定めるところにより，児童福祉施設（幼保連携型認定こども園を除く。）を設置しなければならない。 ③ 市町村は，内閣府令の定めるところにより，あらかじめ，内閣府令で定める事項を都道府県知事に届け出て，児童福祉施設を設置することができる。 ④ 国，都道府県及び市町村以外の者は，内閣府令の定めるところにより，都道府県知事の認可を得て，児童福祉施設を設置することができる。	学校教育法第2条 ① 学校は，国（国立大学法人法第2条第1項に規定する国立大学法人及び独立行政法人国立高等専門学校機構を含む。以下同じ。），地方公共団体（地方独立行政法人法第68条第1項に規定する公立大学法人(略)及び私立学校法第3条に規定する学校法人（以下学校法人という。）のみが，これを設置することができる。 ② この法律で，国立学校とは，国の設置する学校を，公立学校とは，地方公共団体の設置する学校を，私立学校とは，学校法人の設置する学校をいう。 私立学校法第2条 ③ この法律において「私立学校」とは，学校法人の設置する学校をいう。	
設備及び運営	児童福祉法第45条 ① 都道府県は，児童福祉施設の設備及び運営について，条例で基準を定めなければならない。この場合において，その基準は，児童の身体的，精神的及び社会的な発達のために必要な生活水準を確保するものでなければならない。	学校教育法施行規則第36条 幼稚園の設備，編制その他設置に関する事項は，この章に定めるもののほか，幼稚園設置基準の定めるところによる。	学校教育法施行規則第40条 小学校の設備，編制その他設置に関する事項は，この節に定めるもののほか，小学校設置基準の定めるところによる。

	保育所	幼稚園	小学校
基準	保育所保育指針	幼稚園教育要領	小学校学習指導要領
年間時数	規定なし	学校教育法施行規則第37条 　幼稚園の毎学年の教育週数は，特別の事情のある場合を除き，39週を下ってはならない。	学校教育法施行規則第51条 　小学校（略）の各学年における各教科，特別の教科である道徳，外国語活動，総合的な学習の時間及び特別活動のそれぞれの授業時数並びに各学年におけるこれらの総授業時数は，別表第1に定める授業時数を標準とする。
1日の時間	児童福祉施設の設備及び運営に関する基準第34条 　保育所における保育時間は，1日につき8時間を原則とし，その地方における乳幼児の保護者の労働時間その他家庭の状況等を考慮して，保育所の長がこれを定める。	幼稚園教育要領 総則／第3 教育課程の役割と編成等 3.(3) 幼稚園の1日の教育課程に係る教育時間は，4時間を標準とする。ただし，幼児の心身の発達の程度や季節などに適切に配慮するものとする。	学校教育法施行規則第60条 　授業終始の時刻は，校長が定める。
備えなければならない施設・設備・園具・教具	児童福祉施設の設備及び運営に関する基準第32条 　保育所の設備の基準は，次のとおりとする。(抜粋) 1　乳児又は満2歳に満たない幼児を入所させる保育所には，乳児室又はほふく室，医務室，調理室及び便所を設けること。 4　乳児室又はほふく室には，保育に必要な用具を備えること。 5　満2歳以上の幼児を入所させる保育所には，保育室又は遊戯室，屋外遊戯場（保育所の付近にある屋外遊戯場に ↗	幼稚園設置基準第9条 ①　幼稚園には，次の施設及び設備を備えなければならない。ただし，特別の事情があるときは，保育室と遊戯室及び職員室と保健室とは，それぞれ兼用することができる。 1　職員室 2　保育室 3　遊戯室 4　保健室 5　便所 6　飲料水用設備，手洗用設備，足洗用設備	学校教育法施行規則第1条 ①　学校には，その学校の目的を実現するために必要な校地，校舎，校具，運動場，図書館又は図書室，保健室その他の設備を設けなければならない。 小学校設置基準第9条 ①　校舎には，少なくとも次に掲げる施設を備えるものとする。 1　教室（普通教室，特別教室等とする。） 2　図書室，保健室 3　職員室

保 育 所	幼 稚 園	小 学 校
◤代わるべき場所を含む。），調理室及び便所を設けること。 7　保育室又は遊戯室には，保育に必要な用具を備えること。	幼稚園設置基準第10条 ①　幼稚園には，学級数及び幼児数に応じ，教育上，保健衛生上及び安全上必要な種類及び数の園具及び教具を備えなければならない。 ②　前項の園具及び教具は，常に改善し，補充しなければならない。	小学校設置基準第10条 　小学校には，校舎及び運動場のほか，体育館を備えるものとする。ただし，地域の実態その他により特別の事情があり，かつ，教育上支障がない場合は，この限りでない。

<table>
<tr><td rowspan="2">資
格</td><td>児童福祉法第18条の6
　次の各号のいずれかに該当する者は，保育士となる資格を有する。
1　都道府県知事の指定する保育士を養成する学校その他の施設（「指定保育士養成施設」）を卒業した者（略）
2　保育士試験に合格したもの
児童福祉法第18条の18
①　保育士となる資格を有する者が保育士となるには，保育士登録簿に，氏名，生年月日その他内閣府令で定める事項の登録を受けなければならない。</td><td colspan="2">教育職員免許法第3条
①　教育職員は，この法律により授与する各相当の免許状を有する者でなければならない。</td></tr>
<tr><td></td><td></td></tr>
</table>

幼稚園教育要領における専門領域の比較①

	健　康	人間関係	環　境	言　葉	表　現
ね ら い	(1)明るく伸び伸びと行動し，充実感を味わう。	(1)幼稚園生活を楽しみ，自分の力で行動することの充実感を味わう。	(1)身近な環境に親しみ，自然と触れ合う中で様々な事象に興味や関心をもつ。	(1)自分の気持ちを言葉で表現する楽しさを味わう。	(1)いろいろなものの美しさなどに対する豊かな感性をもつ。
	(2)自分の体を十分に動かし，進んで運動しようとする。	(2)身近な人と親しみ，関わりを深め，工夫したり，協力したりして一緒に活動する楽しさを味わい，愛情や信頼感をもつ。	(2)身近な環境に自分から関わり，発見を楽しんだり，考えたりし，それを生活に取り入れようとする。	(2)人の言葉や話などをよく聞き，自分の経験したことや考えたことを話し，伝え合う喜びを味わう。	(2)感じたことや考えたことを自分なりに表現して楽しむ。
	(3)健康，安全な生活に必要な習慣や態度を身に付け，見通しをもって行動する。	(3)社会生活における望ましい習慣や態度を身に付ける。	(3)身近な事象を見たり，考えたり，扱ったりする中で，物の性質や数量，文字などに対する感覚を豊かにする。	(3)日常生活に必要な言葉が分かるようになるとともに，絵本や物語などに親しみ，言葉に対する感覚を豊かにし，先生や友達と心を通わせる。	(3)生活の中でイメージを豊かにし，様々な表現を楽しむ。
内 容	(1)先生や友達と触れ合い，安定感をもって行動する。	(1)先生や友達と共に過ごすことの喜びを味わう。	(1)自然に触れて生活し，その大きさ，美しさ，不思議さなどに気付く。	(1)先生や友達の言葉や話に興味や関心をもち，親しみをもって聞いたり，話したりする。	(1)生活の中で様々な音，形，色，手触り，動きなどに気付いたり，感じたりするなどして楽しむ。
	(2)いろいろな遊びの中で十分に体を動かす。	(2)自分で考え，自分で行動する。	(2)生活の中で，様々な物に触れ，その性質や仕組みに興味や関心をもつ。	(2)したり，見たり，聞いたり，感じたり，考えたりなどしたことを自分なりに言葉で表現する。	(2)生活の中で美しいものや心を動かす出来事に触れ，イメージを豊かにする。
	(3)進んで戸外で遊ぶ。	(3)自分でできることは自分でする。	(3)季節により自然や人間の生活に変化のあることに気付く。	(3)したいこと，してほしいことを言葉で表現したり，分からないことを尋ねたりする。	(3)様々な出来事の中で，感動したことを伝え合う楽しさを味わう。
	(4)様々な活動に親しみ，楽しんで取り組む。	(4)いろいろな遊びを楽しみながら物事をやり遂げようとする気持ちをもつ。	(4)自然などの身近な事象に関心をもち，取り入れて遊ぶ。	(4)人の話を注意して聞き，相手に分かるように話す。	(4)感じたこと，考えたことなどを音や動きなどで表現したり，自由にかいたり，つくったりなどする。

	健　康	人間関係	環　境	言　葉	表　現
内容	(5)先生や友達と食べることを楽しみ，食べ物への興味や関心をもつ。	(5)友達と積極的に関わりながら喜びや悲しみを共感し合う。	(5)身近な動植物に親しみをもって接し，生命の尊さに気付き，いたわったり，大切にしたりする。	(5)生活の中で必要な言葉が分かり，使う。	(5)いろいろな素材に親しみ，工夫して遊ぶ。
	(6)健康な生活のリズムを身に付ける。	(6)自分の思ったことを相手に伝え，相手の思っていることに気付く。	(6)日常生活の中で，我が国や地域社会における様々な文化や伝統に親しむ。	(6)親しみをもって日常の挨拶をする。	(6)音楽に親しみ，歌を歌ったり，簡単なリズム楽器を使ったりなどする楽しさを味わう。
	(7)身の回りを清潔にし，衣服の着脱，食事，排泄などの生活に必要な活動を自分でする。	(7)友達のよさに気付き，一緒に活動する楽しさを味わう。	(7)身近な物を大切にする。	(7)生活の中で言葉の楽しさや美しさに気付く。	(7)かいたり，つくったりすることを楽しみ，遊びに使ったり，飾ったりなどする。
	(8)幼稚園における生活の仕方を知り，自分たちで生活の場を整えながら見通しをもって行動する。	(8)友達と楽しく活動する中で，共通の目的を見いだし，工夫したり，協力したりなどする。	(8)身近な物や遊具に興味をもって関わり，自分なりに比べたり，関連付けたりしながら考えたり，試したりして工夫して遊ぶ。	(8)いろいろな体験を通じてイメージや言葉を豊かにする。	(8)自分のイメージを動きや言葉などで表現したり，演じて遊んだりするなどの楽しさを味わう。
	(9)自分の健康に関心をもち，病気の予防などに必要な活動を進んで行う。	(9)よいことや悪いことがあることに気付き，考えながら行動する。	(9)日常生活の中で数量や図形などに関心をもつ。	(9)絵本や物語などに親しみ，興味をもって聞き，想像をする楽しさを味わう。	
	(10)危険な場所，危険な遊び方，災害時などの行動の仕方が分かり，安全に気を付けて行動する。	(10)友達との関わりを深め，思いやりをもつ。	(10)日常生活の中で簡単な標識や文字などに関心をもつ。	(10)日常生活の中で，文字などで伝える楽しさを味わう。	
		(11)友達と楽しく生活する中できまりの大切さに気付き，守ろうとする。	(11)生活に関係の深い情報や施設などに興味や関心をもつ。		
		(12)共同の遊具や用具を大切にし，皆で使う。	(12)幼稚園内外の行事において国旗に親しむ。		
		(13)高齢者をはじめ地域の人々などの自分の生活に関係の深いいろいろな人に親しみをもつ。			

＊赤字が平成29年の改訂での変更点（点線部は漢字表記への変更）

new runner's supplementary materials

【教育課程に係る教育時間の終了後等に行う教育活動などの留意事項】

1．地域の実態や保護者の要請により，教育課程に係る教育時間の終了後等に希望する者を対象に行う教育活動については，幼児の心身の負担に配慮するものとする。また，次の点にも留意するものとする。

(1)　教育課程に基づく活動を考慮し，幼児期にふさわしい無理のないものとなるようにすること。その際，教育課程に基づく活動を担当する教師と緊密な連携を図るようにすること。

(2)　家庭や地域での幼児の生活も考慮し，教育課程に係る教育時間の終了後等に行う教育活動の計画を作成するようにすること。その際，地域の人々と連携するなど，地域の様々な資源を活用しつつ，多様な体験ができるようにすること。

(3)　家庭との緊密な連携を図るようにすること。その際，情報交換の機会を設けたりするなど，保護者が，幼稚園と共に幼児を育てるという意識が高まるようにすること。

(4)　地域の実態や保護者の事情とともに幼児の生活のリズムを踏まえつつ，例えば実施日数や時間などについて，弾力的な運用に配慮すること。

(5)　適切な責任体制と指導体制を整備した上で行うようにすること。

2．幼稚園の運営に当たっては，子育ての支援のために保護者や地域の人々に機能や施設を開放して，園内体制の整備や関係機関との連携及び協力に配慮しつつ，幼児期の教育に関する相談に応じたり，情報を提供したり，幼児と保護者との登園を受け入れたり，保護者同士の交流の機会を提供したりするなど，幼稚園と家庭が一体となって幼児と関わる取組を進め，地域における幼児期の教育のセンターとしての役割を果たすよう努めるものとする。その際，心理や保健の専門家，地域の子育て経験者等と連携・協働しながら取り組むよう配慮するものとする。

```
            ┌─ 学 校 ─┐                    ┌ 児童福祉施設 ┐
     幼 稚 園      幼保連携型認定こども園        保 育 所
   （幼稚園教育要領）  （幼保連携型認定こども園        （保育所保育指針）
                     教育・保育要領）
```

　2015（平成27）年度より，幼稚園・保育所・認定こども園等の特性を生かした良質かつ適切な教育・保育，子育て支援を総合的に提供する体制を整備することを目的とした〝子ども・子育て支援新制度〟がスタートした。
　この制度は，2012（平成24）年8月に成立した「子ども・子育て支援法」・「認定こども園法の一部改正」・「子ども・子育て支援法及び認定こども園法の一部改正法の施行に伴う関係法律の整備等に関する法律」の〈子ども・子育て関連3法〉にもとづく制度をさす。

■ 子ども・子育て支援法
［第1条（目的）］
　この法律は，我が国における急速な少子化の進行並びに家庭及び地域を取り巻く環境の変化に鑑み，児童福祉法その他の子どもに関する法律による施策と相まって，子ども・子育て支援給付その他の子ども及び子どもを養育している者に必要な支援を行い，もって一人一人の子どもが健やかに成長することができる社会の実現に寄与することを目的とする。

■ 認定こども園
　2006（平成18）年に「就学前の子どもに関する教育，保育等の総合的な提供の推進に関する法律」が成立したことによりスタートしたもので，教育と保育を一体的に提供する「幼保一体化」施設のこと。次の4つのタイプがある。
　①　幼保連携型……幼稚園的機能と保育所的機能の両方をあわせ持つ単一の施設として，認定こども園としての機能を果たす。
　②　幼稚園型……認可幼稚園が保育所的な機能を備える。
　③　保育所型……認可保育所が幼稚園的な機能を備える。
　④　地方裁量型……幼保いずれの認可も無い地域の教育・保育施設が，認定こども園としての機能を果たす。
⇒　幼保連携型が一番多く設置されている。
⇒　幼保連携型の職員資格は，幼稚園教諭の免許状と保育士資格を併有する「保育教諭」。

■ 幼保連携型認定こども園教育・保育要領
（2017年3月告示）
［第1章 総則／第1 幼保連携型認定こども園における教育及び保育の基本及び目標等］より抜粋
　乳幼児期の教育及び保育は，子どもの健全な心身の発達を図りつつ生涯にわたる人格形成の基礎を培う重要なものであり，幼保連携型認定こども園における教育及び保育は，就学前の子どもに関する教育，保育等の総合的な提供の推進に関する法律（「認定こども園法」）第2条第7項に規定する目的及び第9条に掲げる目標を達成するため，乳幼児期全体を通して，その特性及び保護者や地域の実態を踏まえ，環境を通して行うものであることを基本とし，家庭や地域での生活を含めた園児の生活全体が豊かなものとなるように努めなければならない。
　このため保育教諭等は，園児との信頼関係を十分に築き，園児が自ら安心して身近な環境に主体的に関わり，環境との関わり方や意味に気付き，これらを取り込もうとして，試行錯誤したり，考えたりするようになる幼児期の教育における見方・考え方を生かし，その活動が豊かに展開されるよう環境を整え，園児と共によりよい教育及び保育の環境を創造するように努めるものとする。

2026年度版　幼稚園 新ランナー

（2023年度版　2021年12月24日　初版　第1刷発行）
2024年10月18日　初　版　第1刷発行

編 著 者　東　京　教　友　会
発 行 者　多　田　敏　男
発 行 所　ＴＡＣ株式会社　出版事業部
　　　　　　　　　　　　　（ＴＡＣ出版）

〒101-8383
東京都千代田区神田三崎町3-2-18
電 話 03(5276)9492（営業）
FAX 03(5276)9674
https://shuppan.tac-school.co.jp

組　　版　朝日メディアインターナショナル株式会社
印　　刷　日　新　印　刷　株式会社
製　　本　株式会社　常　川　製　本

のご案内

『人物重視の選考に、人物重視の対策を』

TACでは「ここを覚えてください」ではなく、「なぜ」「どうして」といった、理解中心の本質的な講義を展開します。理解して覚えるためのノウハウを盛り込んだ充実の講義は最終合格に結びつき、その後の学校現場にもつながっていきます。

授業では**実践的に使える知識を身に付ける**ことができました。学校現場での例や実践と繋げて説明があるため長期記憶で定着しました。

朝川 眞名さん 東京都 特別支援学校音楽

様々な先生の視点から指導いただけるのは非常に有意義だと思います。どんな面接官に対しても高評価をもらえるような解答を用意することができました。

石原 俊さん 愛知県 中学校数学

TACは面接や論文のサポートが手厚く、面接対策では、**自身の希望する自治体に合わせた質問や形式**を準備頂き、本番に近い状況で対策をすることができました。

竹腰 卓生さん
東京都 中高地歴

鴨田 拓 講師
Kamota Taku

鎌田 瀧子 講師
Kamata Syoko

竹之下 シゲキ講師
Takenoshita Shigeki

永平 一洋 講師
Nagahira Kazuhiro

※各種本科生を対象とした合格体験記より抜粋。

自分に合った
学習スタイルを！
**選べる
学習メディア**

Web通信講座

いつでもどこでも
何度でも！
マルチデバイス対応
のオンライン学習

教室＋Web講座

教室でも、Webでも、
自由に講義を受けられる！

【開講校舎】
新宿校・横浜校・大宮校・
名古屋校・梅田校・神戸校

各種資料のご請求・教員講座の受講や試験に関するご相談は

資料請求する

講座パンフレットを
ご自宅へお届けします

講義動画を
視聴してみる

無料体験動画を公開中

オンラインで
話を聞く

個別に学習や受講の
相談を承ります

TACカスタマーセンター 　通話無料　**0120-509-117** （ゴウカク イイナ）　受付時間 平日・土日祝／10:00〜17:00

TAC出版 書籍のご案内

TAC出版では、資格の学校TAC各講座の定評ある執筆陣による資格試験の参考書をはじめ、資格取得者の開業法や仕事術、実務書、ビジネス書、一般書などを発行しています!

TAC出版の書籍

*一部書籍は、早稲田経営出版のブランドにて刊行しております。

資格・検定試験の受験対策書籍

- ✪日商簿記検定
- ✪建設業経理士
- ✪全経簿記上級
- ✪税　理　士
- ✪公認会計士
- ✪社会保険労務士
- ✪中小企業診断士
- ✪証券アナリスト

- ✪ファイナンシャルプランナー(FP)
- ✪証券外務員
- ✪貸金業務取扱主任者
- ✪不動産鑑定士
- ✪宅地建物取引士
- ✪賃貸不動産経営管理士
- ✪マンション管理士
- ✪管理業務主任者

- ✪司法書士
- ✪行政書士
- ✪司法試験
- ✪弁理士
- ✪公務員試験(大卒程度・高卒者)
- ✪情報処理試験
- ✪介護福祉士
- ✪ケアマネジャー
- ✪電験三種　ほか

実務書・ビジネス書

- ✪会計実務、税法、税務、経理
- ✪総務、労務、人事
- ✪ビジネススキル、マナー、就職、自己啓発
- ✪資格取得者の開業法、仕事術、営業術

一般書・エンタメ書

- ✪ファッション
- ✪エッセイ、レシピ
- ✪スポーツ
- ✪旅行ガイド (おとな旅プレミアム/旅コン)

書籍の正誤に関するご確認とお問合せについて

書籍の記載内容に誤りではないかと思われる箇所がございましたら、以下の手順にてご確認とお問合せをしてくださいますよう、お願い申し上げます。

なお、正誤のお問合せ以外の書籍内容に関する解説および受験指導などは、一切行っておりません。
そのようなお問合せにつきましては、お答えいたしかねますので、あらかじめご了承ください。

1 「Cyber Book Store」にて正誤表を確認する

TAC出版書籍販売サイト「Cyber Book Store」の
トップページ内「正誤表」コーナーにて、正誤表をご確認ください。

CYBER TAC出版書籍販売サイト
BOOK STORE

URL:https://bookstore.tac-school.co.jp/

2 1 の正誤表がない、あるいは正誤表に該当箇所の記載がない ⇒ 下記①、②のどちらかの方法で文書にて問合せをする

★ご注意ください★

お電話でのお問合せは、お受けいたしません。
①、②のどちらの方法でも、お問合せの際には、「お名前」とともに、
「対象の書籍名（○級・第○回対策も含む）およびその版数（第○版・○○年度版など）」
「お問合せ該当箇所の頁数と行数」
「誤りと思われる記載」
「正しいとお考えになる記載とその根拠」
を明記してください。
なお、回答までに1週間前後を要する場合もございます。あらかじめご了承ください。

① ウェブページ「Cyber Book Store」内の「お問合せフォーム」より問合せをする

【お問合せフォームアドレス】

https://bookstore.tac-school.co.jp/inquiry/

② メールにより問合せをする

【メール宛先　TAC出版】

syuppan-h@tac-school.co.jp

※土日祝日はお問合せ対応をおこなっておりません。
※正誤のお問合せ対応は、該当書籍の改訂版刊行月末日までといたします。

乱丁・落丁による交換は、該当書籍の改訂版刊行月末日までといたします。なお、書籍の在庫状況等により、お受けできない場合もございます。
また、各種本試験の実施の延期、中止を理由とした本書の返品はお受けいたしません。返金もいたしかねますので、あらかじめご了承くださいますようお願い申し上げます。

（2022年7月現在）